Palmwijn

Adriaan van Dis

Palmwijn

Novelle

Uitgeverij Augustus
Amsterdam • Antwerpen

Elke overeenkomst met bestaande eilanden voor de kust van West-Afrika is niet toevallig, ook de politieke situaties zijn naar de werkelijkheid getekend, toch zal geen lezer het in *Palmwijn* beschreven eiland op de kaart kunnen vinden. Wie zich in een van de getekende personages herkent, beschikt over meer fantasie dan de auteur.

Vijfde druk, februari 2009
De eerste druk verscheen ter gelegenheid van de Boekenweek 1996 onder auspiciën van de Stichting Collectieve Propaganda van het Nederlandse Boek.

Omslagfoto Mieke Groot
Omslagontwerp Studio Jan de Boer
Foto van de auteur Chris van Houts
Vormgeving binnenwerk Suzan Beijer

ISBN 978 90 457 0267 4
NUR 301

www.adriaanvandis.nl
www.augustus.nl

We carry within us the wonders we seek without us:
There is all Africa and her prodigies in us.

Sir Thomas Browne, *Religio Medici*, 1643

1

Vanmorgen kreeg ik een brief uit Afrika. Hij voelde warm aan, de zon zat nog als verstekeling in de envelop. Maar toen ik hem openmaakte kreeg ik kippenvel: er zat een doodsbericht in.

Een krantenknipsel zonder afzender. 'Tragische dood Susan Courtland' stond er boven het artikel. Verbazend hoe een exotische postzegel en een rafelig stuk buitenlandse krant je zintuigen op reis kunnen sturen. Opeens rook ik brandend hout, vuurtjes voor het avondmaal, vis, ezels en de gronderige geur van blote bovenlijven en modder, opgewoeld door een gemene zee. De geuren van Susans eiland. Ik zag haar lopen, moeilijk door het mulle zand, ik zag haar in haar huis, pratend, alsmaar pratend, en achter haar de zee. Ik voelde haar eenzaamheid over me heen golven. En ik was weer de afstandelijke waarnemer, de luisterende man die alles in zich opnam, nauwelijks in staat tot troosten, al moet mijn gezelschap Susan niet onberoerd hebben gelaten.

Susan Courtland. Haar naam stond vet gedrukt. Letters als zwarte vlaggen, ze gaven nog af ook. Nog voor het bericht goed en wel tot me doordrong, waren mijn duimen al in de rouw.

Tragische dood? Voor wie? Veel mensen zullen er niet om haar groeve hebben gestaan. Toch eerde de krant haar met mooie woorden en een tekening. Een zonsondergang, ook vlekkerig, zo moet ze er duizenden hebben gemaakt.

De krant noemde haar een kunstenares met een grote liefde voor Afrika. 'Erkenning van haar werk bij de internationale gemeenschap... opmerkelijke verschijning... verlies voor het eiland.'

Die Susan. Dat een van haar tekeningen ooit nog eens de krant zou halen. Bij mijn weten heeft ze nooit ergens geëxposeerd. Verlies voor het eiland? Ik vrees dat de bewoners daar heel anders over dachten. De schrijver van het artikel had zich maar wat op de mouw laten spelden, hier sprak het vasteland, de eilanders wisten wel beter wat haar 'internationale erkenning' waard was. Of kwam deze postume lof van de paar buitenlandse toeristen die een bezoek aan het eiland met een van haar tekeningen hadden moeten bekopen? Ik zal hun verbaasde blikken niet licht vergeten. Al één voet op de loopplank, één nog op de pier en Susan die hun het pad versperde. De zwerm kralen- en beeldjesverkopers konden ze nog makkelijk van zich afslaan, maar een oude blanke dame die hun een map tekeningen voorhield?

'Is het van hier?'

'Ziet u dat niet?'

'Het is zo modern...'

'En toch laat ik me door iets eeuwenouds inspireren.'

'Wat stelt het voor?'

'Eiland in ondergaande zon.'

'O... ik dacht dat het een nijlpaard was. Een badend nijlpaard met twee oortjes.'

Tekeningen verkopen was een ernstige zaak voor Susan, ze leefde ervan. 'Ik schilder de leegte,' zei ze tegen toeristen die minder in haar tekeningen zagen. Er trapte altijd wel iemand in. Haar artistieke betekenis was nul. Susan heeft heel iets anders voor het eiland betekend, al kon ze daar bezwaarlijk trots op zijn. Zonder haar zou het eiland tot op de dag van vandaag zijn blijven voortsukkelen in een eindeloze reeks van lauwe zonsondergangen. Dankzij Susan stond het voor iedereen op de kaart.

Helaas vermeldde het knipsel niets over de achtergrond van haar sterven. 'Tragische dood...' zei me niets, de mensen dekken de dood nu eenmaal graag toe met clichés. Toch is het een woord dat bij een bezoek aan het eiland algauw bij je opkwam, de bewoners gebruikten het vaak, hun leven zinderde van tragiek. Ik kon natuurlijk een paar mensen bellen, als ik verbinding kreeg en de telefoonkabel niet weer eens kapot was gevaren. Maar ze zouden mijn nieuwsgierigheid niet op prijs stellen. Zo prettig was mijn afscheid niet geweest. Bovendien, wie had zich nou echt voor Susan geïnteresseerd? Ze hoorde er zo zichtbaar niet bij... een vreemde blanke dame die onderweg in Afrika was blijven hangen. Je kon zien dat ze mooi was geweest, vroeger, voordat de armoe en de tijd haar te pakken kregen... rafels aan haar kleren, verwaaid, verweerd en een gezicht als een ouwe tas. Taai, dat wel. Iemand die de beste plekken opzocht én inpikte. Wat dat betreft had ik iets met haar gemeen, ook ik was zo'n zwerver geweest. Als ik maar lang en goedkoop ver weg bleef. Weg van lasten en plichten. Jezelf ontdekken, noemden we dat toen. Modieuze hippiepraatjes. Je ontdekte hooguit hoe goed je het had.

De verleiding om nooit meer terug te keren was me niet vreemd, maar de burgerman in mij vreesde te verslonzen en uiteindelijk heb ik toch voor een carrière gekozen, voor regelmatig naar de kapper en pensioen. Al was het bijna noodzaak een beroep te kiezen waarbij ik veel moest reizen. Want 'thuis' bleek na al mijn omzwervingen niet meer te bestaan. Ik was een vreemdeling in mijn eigen cultuur geworden. Ik begreep niet waar mijn oude vrienden zich druk over maakten. Dat sudderde maar langs hetzelfde parcours... huizen, hypotheken, kinderwagens. Misschien lag het aan mij, altijd een eenling geweest. Onderweg was ik ook een buitenstaander. Ik wilde iets anders doen, de ongelijkheid bestrijden – zo noemde ik dat toen – mij inzetten voor de derde wereld – mensen helpen, hoe bang ik ook was iemand van vlees en bloed nabij te komen.

Susan ontmoette ik op een van mijn dienstreizen. Tijdens mijn zwerftochten op het eiland was ze me direct opgevallen. De oude blanke dame met de tekenmap. Ze zocht haar klanten uitsluitend bij de pier, alleen toeristen die vertrokken durfde ze aan te spreken, alsof ze bang was later ooit nog een koper van haar tekeningen onder ogen te komen. Niet dat ik op een praatje uit was, maar ze deed zo haar best me te ontwijken, dat ze me nieuwsgierig maakte. Wat een vreemde, afstandelijke vrouw. Ook de Afrikanen leek ze te mijden, ze keek afwezig langs ze heen, met die vreemde ogen, grijs, niet koel. (Pas later merkte ik dat er op haar tekeningen nauwelijks mensen voorkwamen.)

Zodra het om verkopen ging veranderde ze echter zichtbaar. Map tegen haar borst en een hand met wapperende tekeningen in de lucht... een en al glimlach en verleiding. Waren de laatste passagiers aan boord, dan borg ze dat masker, samen met haar tekeningen, weer op. De omgang met mensen kostte haar zichtbaar moeite. En weer herkende ik iets van mezelf in haar. Ook zij was een alleenloper.

Terug van haven naar dorp liepen de kinderen achter haar aan. Waar ze voorbijschuifelde, stoven de zinnen op.

'Pas op, pas op, daar komt ze.'

'Neem niks van haar aan.'

'Ga nooit met haar mee.'

'Moordenaar, moordenaar!'

Ik was al eens voorzichtig achter zo'n jouwende meute aangelopen en wist dat ze in een hoog huis achter dikke muren woonde. Aan het eind van het dorp, naast de moskee. De bes-te plek voor wie van leeg uitzicht hield, zee aan de ene kant, jungle aan de andere. Soms hoorde je apen boven de bran-ding uit krijsen, maar dat was niets vergeleken bij het geblèr van de muezzin. Dat ze daar niet gek van werd! Vijf keer per dag klom hij naar de megafoon boven in de minaret en riep de gelovigen op tot gebed. Je wist precies hoe laat het was.

Tijd zong op het eiland. Vroeger leefden de mensen bij de klok van de katholieken, maar de steeds heviger wordende woestijnwinden hadden het uurwerk onklaar gemaakt. Vol-gens de kerk was het pure sabotage, anderen zagen er de hand van Allah in. Sinds de toevloed van vluchtelingen uit het zuiden van het vasteland – merendeels moslims – was de stem van de islam op het eiland luider geworden. Het was al-lemaal een gevolg van de Verandering. Het hele eiland gons-de van verandering.

Vijf keer per dag: 'Al-lâhou akbarou'... en overal – op de pleinen, op de pier, op het strand – keerden de gelovigen hun kont naar het westen. Ritme, alles had een ritme op het ei-land. Elk gebed bracht vaste riten met zich mee. Water pom-pen, brood halen, zee-egels van de pier schrapen, kijken naar de landvogels die krijsend over het eiland vliegen, op zoek naar een schuilplaats voor de nacht. Elke dag weer. Tijd was ook een cirkel op het eiland. Er viel niet uit te ontsnappen, ook voor alleenlopers niet.

'Ik heb de indruk dat u me achtervolgt,' zei Susan, toen ik haar op een ochtend na het tweede gebed voor de zoveelste keer passeerde.

'Dat lijkt maar zo,' zei ik, 'we wonen bij elkaar in de buurt. De broodboot is net aangekomen en iedereen wil er op tijd bij zijn. Er is altijd te weinig, zoals u weet.'

Susan moest het met een zucht beamen. Het kopen van ons dagelijks brood werd bepaald door ongeschreven wetten. Er waren twee stalletjes op hetzelfde plein, één katholiek, één muzelman. Ze bezaten niet eens een oven. De grond van het eiland was te arm om eigen graan of maïs van te oogsten. Het brood werd in de hoofdstad op het vasteland gebakken en daar bepaalde men ook op hoeveel brood het eiland recht had. Was de bevolking gehoorzaam, dan bleef de prijs kunstmatig laag; dreigde er opstand, dan steeg de prijs en kwam er minder. Zo wist de regering macht aan liefdadigheid te verbinden. Als zo'n tijdelijk dieet niet hielp, liet de president de stroom afsnijden, of de telefoons van de rijken. De eigenzinnige bevolking moest op alle niveaus voelen wie uiteindelijk de baas was.

De eilanders hielden niet van gezag. Een bevel gooide je met je kin omhoog terug in de wind. Zei het vasteland nee, dan zei het eiland ja; ook als nee ze beter uitkwam. Reden de auto's op het vasteland rechts, dan hield het eiland links. Dat wil zeggen, de ezels. Want er waren helemaal geen auto's op het eiland; de ezelskar gaat er door voor taxi. Niemand had het nodig gevonden de zandpaden te verbreden en te verharden. Het eiland was ooit een verzamelplaats voor slaven geweest en de bevolking toonde zich sindsdien overgevoelig voor knechtschap.

Dat wist ik natuurlijk allemaal nog niet toen ik voor mijn eerste stokbrood in de rij stond, al viel het me wel op dat niemand van de ene naar de andere rij overliep, ook als een van de stallen even minder klandizie had. Men kocht niet bij twee verschillende geloven – dat was een ongeschreven regel op het eiland. Apart bleef de vrede bewaard. 'De katholiek is een spion van de regering,' beet een jonge moslim mij toe toen hij me aanstalten zag maken naar de andere, kortere rij over te stappen. Die arme Susan raakte er helemaal van in verwarring. Ik had haar al een paar keer in vertwijfeling op het plein zien staan. Innerlijk verscheurd voor wie ze nou kiezen moest. Eén stap naar links, naar rechts, in de rij voor de ene, dan weer voor de andere. Na een lichte aarzeling besloot ik de ene dag bij de een, de andere dag bij de ander mijn stokbrood te kopen. Zo'n houding hoort bij mijn werk. Ik word geacht onbevooroordeeld te zijn. Ook kinderen van een spion moeten eten. Elke clan weefde zijn eigen web, ik was niet van plan me erin te laten verstrikken. Susan ging te vaak met lege handen naar huis.

Mijn grondigste lessen in eilandrituelen kreeg ik van een buitenlander, een roodharige Brit nota bene. Deze jongeman, die door iedereen William werd genoemd en die op eigen houtje een Ecologisch Centrum was begonnen, streed voor een schoner milieu en leerde de eilandjeugd hun Fantablikjes braaf in de door hem geplaatste prullenbakken te gooien. Hij nam het begrip milieu wel erg ruim, hij bemoeide zich ook met de omgangsvormen. Hij dichtte de bevolking de eigenaardigste diepzinnigheden toe, een onwetende blanke zou in zijn lompheid volgens William grote schade kunnen aanrichten. Gewoonlijk weet ik dat soort 'ingewijden' op reis te vermijden, maar dit keer moest ik me zijn inzichten laten welgevallen. Ik was namelijk afhankelijk van de man, het ongeluk wilde dat hij de enige was die me een schoon bed en een propere kamer kon verhuren. Het eiland bleek maar één goor hotelletje te bezitten, dit als gevolg van het feit dat het vasteland de harde valuta van de toeristen liever voor zichzelf hield en alleen dagtochten naar het eiland organiseerde. Voor wie niet geheel door vlo en muskiet wenste te worden leeggezogen was Williams Ecologisch Centrum het enige alternatief.

Mijn aanwezigheid mocht geen evenwicht verstoren, zei William en hij kon het niet nalaten mij elke ochtend aan het ontbijt over de omgangsregels te onderhouden. Voor hem was Afrika een continent dat je niet zonder het zorgvuldig bestuderen van de bijsluiter mocht betreden. Ik hield me maar van den domme – een voorwaarde in mijn vak – en was niet van plan hem te vertellen dat ik wel eens vaker in deze contreien had rondgereisd. Ik knoopte alles goed in mijn oren. Regel één: wie iets geeft verwacht een tegengebaar. Neem dus nooit iets van een ander aan. Regel twee: op dit eiland wordt niet hardop geteld. Tellen herinnerde aan de slaventijd, toen de Afrikanen als nummers de boten in werden gestuurd. Tellen deed je in stilte, met je vingers op de rug, of met een zakjapannertje. Drie: niet naar mensen wijzen. Vier: nooit iemands voornaam in het donker noemen.

'Waarom is dat?'

'Geesten kunnen iemands naam stelen en zo bezit van een ziel nemen.'

'Wat voor geesten?'

'Doodgemartelde slaven, verdronken zeelui.'

'En dat geloof je?'

'Het leed van de slaven heeft het eiland getekend, ze dolen nog rond, 's nachts huilen ze in de kelders.'

Het onderaards gejammer was me de eerste nacht al opgevallen. Maar de vraag of het ook krolse katers konden zijn, beschouwde William als sarcastisch. 'Kijk,' zei hij, 'zo'n houding getuigt nu van westerse arrogantie.'

Het Ecologisch Centrum zou de Afrikanen hun trots helpen teruggeven. En William zou de mensen persoonlijk trainen zich weerbaarder op te stellen. Te veel Afrikanen waren door de schijnsuperioriteit van het Westen verblind en door het klakkeloos overnemen van 'het moderne' van hun verleden vervreemd geraakt. De harmonie was verbroken. Wat dit alles nu met ecologie te maken had, durfde ik nauwelijks te vragen, maar het kwam erop neer dat het Westen Afrika te veel als een vuilnisvat gebruikte. Europese kerncentrales en chemische industrieën dumpten er straffeloos hun afval. Geen Afrikaanse minister die er een probleem in zag, en deed hij dat wel, dan werd het via zijn bankrekening opgelost. Het Ecologisch Centrum wilde deze mentaliteit bestrijden. William had Europa afgeschreven, Afrika viel nog te redden. Respect, daar ging het om. Niet alleen respect voor de band met de aarde – de letterlijk geestrijke grond van de voorvaderen – maar ook voor de tradities zoals die nog leefden in de harten van het volk.

Het eiland was de best denkbare uitvalsplek voor deze missie. Een uur varen van de hoofdstad en schuin tegenover de delta die het vasteland in tweeën snijdt. Juist een oud slaveneiland moest in Afrika een bevrijdend voorbeeld stellen. Niet langer slaaf van westerse consumptiedrift en groei. Ik praat hem maar na, want zo ongeveer zei hij het.

William wist binnen de kortste keren de portemonnee van het schuldige Westen aan te spreken. Met behulp van buitenlandse giften liet hij twee slavenhuizen restaureren en benoemde zichzelf tot bezoldigd directeur. Maar toen hij zich tegen de invoer van ijskasten, waspoeder en insectenbestrijdingsmiddelen begon te verzetten, kreeg hij het met de regering aan de stok. Een kritische houding ten opzichte van het milieu mocht geen onrust zaaien. Het was afgelopen met cursussen aan studenten uit binnen- en buitenland, de post kwam niet meer aan, de telefoon werd regelmatig afgesneden, kortom, het Centrum werd officieel geboycot.

Hoe slechter het Ecologisch Centrum liep, des te groter werd Williams aanzien op het eiland. Niet dat ze begrepen wat hij precies uitspookte, maar iemand die door de hoofdstad werd gedwarsboomd kon altijd op de sympathie van de bevolking rekenen. Om zijn personeel toch bezig te houden, moest William zich ertoe verlagen zijn mooiste kamers aan doorgaande reizigers te verhuren.

Ik was die dagen zijn enige gast en zo kon hij me elke ochtend ongestoord de les lezen. Hoe meer ik mijn eigen weg ging, hoe jaloerser hij werd. Ik kreeg sterk de indruk dat hij me achtervolgde. Wat te denken van die keer dat ik tijdens een van mijn inspecties naar een stel jonge kerels stond te kijken die een verlaten slavenhuis probeerden te kraken. Eén stond boven op het gammele dak met een touw in zijn hand, de ander gaf hem van beneden wrakhout aan. Ik wilde voor een uit zijn lus glijdende balk waarschuwen, maar ik had nog niks gezegd of William stond naast me. 'Pas op, niet wijzen!' zei hij. Totaal tegen de regels! Wijzen herinnerde aan de slaventijd: stak iemand een vinger naar je uit, dan kon dat een spoedig vertrek van het eiland betekenen. Had ik niet gezien hoeveel mensen op het eiland een opzichtige talisman droegen? Daarmee probeerden ze zich te weren tegen het boze oog én tegen boze, wijzende vingers. Ik stak mijn handen in mijn zakken en besloot voortaan in bijzijn van William iedereen te laten doodvallen. Het werd me al snel duidelijk dat het hele verhaal door de vluchtelingen was verzonnen. Zíj droegen die dingen – een toverspreuk verstopt in een propje rood geitenleer – meegenomen uit het zuiden van het vasteland, dat ze bij honderden hadden verlaten om een veilig onderkomen op het eiland te zoeken. De ruïnes puilden uit van deze talismandragers en om zeker van hun rust te zijn vertelden ze rond dat wie een vinger naar hen uitstak door zijn eigen hand zou worden gestraft. Als er geen oude tradities meer waren, zocht William gretig naar nieuwe.

'En blijf van de palmwijn af,' waarschuwde William me op een ochtend aan het ontbijt nadat hij me voor de zoveelste keer op de geboden en verboden had gewezen.

'Wat is daar nu weer mis mee?'

'Het is slecht voor de bomen,' zei hij laconiek.

Had William me ook al tot buiten het dorp gevolgd, waar

ik me verbaasde over de lenigheid van de jongens die de hoogste toppen van de palmbomen inklommen om de daar gistende levenssappen af te tappen? Illegaal, naar men zei, maar daarom des te aanlokkelijker; tijdens mijn wandelingen was ik aan menig gesis en gewenk voorbijgegaan en zag ik mannen met glazige ogen van achter smoezelige gordijnen komen.

Ook zonder palmwijn werd mijn nuchterheid op de proef gesteld. Het bijgeloof van de eilanders werkte bedwelmend. Waar ik ook kwam, iedereen sprak over geesten alsof het dagelijkse metgezellen waren. Dood was niet dood op het eiland, en weg was niet weg, daarvoor had het verleden te veel tekens achtergelaten. Zo maakte de veerboot, of sloep zoals de bewoners hem noemden, zowel bij aankomst als vertrek vlak voor de haven een extra rondje. Bij eb kon je op die plek een oud scheepswrak zien liggen. Ik was ervan overtuigd dat de kapitein een revérence voor de verdronken zeelui maakte.

Vrijwel ieder huis op het eiland herinnerde aan een afscheid: in de muren van de slavenkelders stonden honderden tekens gegrift en van elke dode die men ten grave droeg, werd een strook van de lijkwade afgeknipt en naast de deur van het sterfhuis gehangen. Toeristen prezen de eilanders om hun versierlust.

Willams bemoeizucht leidde uiteindelijk tot een breuk. Hij nam me kwalijk dat ik met Susan contact had gezocht. 'Mijd die vrouw,' waarschuwde hij, 'ze sleept je mee de afgrond in.'

'Waarom?' vroeg ik. 'Ze lijkt me te oud om nog kwaad te kunnen doen.'

William brieste verachtelijk... 'Ze overtreedt elke regel.'

Als Susan niet zo haar best had gedaan mij te ontwijken zou ik misschien geen enkele aandacht aan haar hebben geschonken, maar sinds onze ontmoeting op het plein van de broodverkopers liet ze me niet meer los. Ik had al een paar keer de jouwende kinderen die haar achtervolgden wegge-jaagd, maar de stilte die volgde was te pijnlijk om met een flauw praatje te doorbreken. Tot ik haar op een morgen, toen de broodboot ons weer eens slecht bedeelde en Susan met lege handen naar huis dreigde te keren, met een stokbrood onder mijn arm durfde aan te spreken.

'Ik zou zo graag uw tekeningen willen zien.'

Ze nam me van top tot teen op en ik deed onwillekeurig hetzelfde. Onze ogen bleven op hetzelfde punt hangen. Bij onze schoenen. We herkenden iets van elkaar. Onze door wind en zand kaalgeschuurde schoenen. Tegen droogte valt nu eenmaal niet op te poetsen. Ze moest erom glimlachen, anders dan ze tegen haar klanten deed.

'U heeft een flinke reis achter de rug,' zei ze zacht. Zelfs als ik me vooroverboog kon ik haar met moeite verstaan.

'Ik moest in de woestijn zijn,' zei ik.

'Paard of kameel?'

'Auto met chauffeur, gewoon van nederzetting naar neder-zetting en maar zien waar je slaapt.'

'Een paard is beter dan een kameel.'

'Ik heb er niet een gezien.'

'Paarden weten precies hoe ver ze kunnen gaan, ze ruiken water. Zelf heb ik genoeg aan een veldfles, ik drink alleen 's nachts en 's morgens vroeg, maar een paard heeft behoefte aan meer, hij kijkt naar de trekvogels, volgt hun spoor en vindt zijn water in de schaduw van een overhangende rots of krabt het op tussen de stenen van een uitgedroogde rivier. Als je naar je paard luistert, zit je nooit zonder water.'

'U bent een kenner.'

'Zo deed ik het vroeger in de Colorado-woestijn, zo doe ik het hier. Maar waar praat ik over, ik ben al veel te lang niet op het vasteland geweest. De termieten hebben bijna al mijn broeken opgegeten.'

Ze keek naar mijn slap geworden stokbrood, haar gezicht betrok van spijt. Ik duwde haar mijn brood in de hand, van de roomse. Ze accepteerde het, zonder dankje, haar ogen afgewend. Susan had iets van me aangenomen. We hoefden er geen woord aan vuil te maken. Kon ik een tegengebaar verwachten? Hield Susan zich aan de eilandregels?

Ja. In de haven, voor de stoep van het gele visserscafé met de getraliede ramen. Ik zal de plek niet snel vergeten. Het was na het vierde gebed, als de laatste sloep aankomt en vertrekt. Susan slofte terug van de pier, ze had duidelijk niets verkocht Was dit niet het moment om naar haar tekenmap te vragen?

'Pas als u het eiland verlaat,' zei ze.

'Mag ik u dan uitnodigen iets met me te drinken?'

'Als ik maar niet naar binnen hoef.'

De bediende keek nors uit het getraliede raam. Voor mij kon er nog net een knik af, Susan zag hij niet staan. Toen we om twee palmwijn vroegen, liep de man zonder een woord te zeggen naar achteren. Hij kwam terug met twee kleine bruine flessen.

'Wat is dat?' vroeg Susan.

'Bier.'

'We vroegen toch om palmwijn?'

'Vandaag niet,' zei hij.

Slecht voor de bomen, dacht ik en ik vroeg me af of ze van Williams waarschuwing op de hoogte was. Het bier werd ongeopend naast ons op de stoep gezet. Ze pakte de flessen beledigd op en liep ermee naar de waterkant. 'Warm bier voor een beter milieu,' zei ze met een aangezet Amerikaans accent.

De invloed van dat rottige Ecologisch Centrum ging verder dan ik dacht. Voordat ik de bediende kon vragen de flessen in ieder geval fatsoenlijk open te maken, hield Susan de kroonkurk al tussen haar tanden. 'Van de Afrikaanse vrouwen afgekeken, die kunnen het zelfs nog met één tand,' zei ze. Met deze oefening testte ze de kracht van haar gebit, haar beendergestel werd met de dag brozer. Ook mijn dop spuwde ze in het water.

Ze ging op de rand van de kade zitten. 'Dit is het fijnste uur van de dag, de koelte geeft de wind zijn geuren terug.' Over de smaak van palmwijn wilde ze niets zeggen, nog minder over haarzelf en al helemaal niets over William. Bij het horen van zijn naam begon ze laatdunkend te snuiven.

'De haven ruikt vandaag naar de overkant,' zei ze, 'olie, kamfer, hars, kardamom, zand, woestijncitroenen, het blijft in de kleren van de passagiers hangen.' Dit was haar mijmeruur.

'De natuur heeft een slechte smaak,' zei ze toen de bediende de flessen nog voor de laatste slok kwam wegkapen. 'Kijk hoe de zon in de zee wordt geslacht, te gulzig. Kop onder water en weg. Toch hou ik van dit uitzicht... ruimte, leegte, horizon. Dingen die plat liggen zijn vredig en je geest raakt vredig met hen. Eigenlijk moet ik nu naar huis en tekenen tot het donker alles uitvlakt. Ik teken graag in de schemering, vooral als het eiland weer eens zonder stroom zit. Na zonsondergang branden de contouren na op je netvlies en teken je uit je herinnering.'

Ze stond op, opende haar map en telde haar tekeningen. 'Deze bevallen me steeds minder. Als het je werkelijk interesseert wat ik maak moet je bij me langskomen. Morgen na het laatste gebed. Ik woon bij de moskee. Je herkent mijn huis aan de offerandes naast de deur. Poort door en de trap op naar boven. Ik schenk palmwijn.'

Susan liet me inderdaad haar tekeningen zien. Een eindeloze reeks zonsondergangen, het eiland gevangen in donkere stromen, leeg, leeg... Ze opende map na map en leidde me van haar terras naar haar kale koele witte kamers. Ze praatte, mijmerde, kookte, zweeg langdurig... van laat in de avond tot vroeg in de morgen. De eerste uren vleide ik me met de gedachte dat ik haar vertrouwen had gewonnen, zo openhartig was ze, maar ze keek me nooit aan, ik bestond niet voor haar, ze vertelde haar verhaal alsof ze het anderen vertelde, mensen ver weg. Ik was slechts de waarnemer, hoezeer ik mijn rol ook betreurde. Ze maakte me tot een oor dat niet mocht troosten...

2

«Luister, hoe ik als Amerikaanse op dit eiland verzeild ben geraakt doet niet terzake, het is een vraag die elke nieuwkomer me stelt. En vraag me ook niet wat ik in Afrika zoek. Ik voel me tot Afrikanen aangetrokken omdat ik ze niet begrijp. Alleen daarom al zullen ze me hier altijd een vreemde vrouw blijven vinden. De afstand is alleen maar groter geworden, maar ik heb het op mijn manier geprobeerd. En waarom ik hier blijf? Geen antwoord. Ik ben niemand verantwoording schuldig. Straks, als ik klaar ben, mag je één vraag stellen, één. Ik probeer niemand tot last te zijn. Ik betaal mijn *gardien* dubbel omdat hij vindt dat het hier spookt en dan nog blijft hij dagen weg. Mij best, er valt toch niks te bewaken, want ik bezit niets meer, maar het is nu eenmaal gewoonte dat een *toubab* een gardien in dienst heeft. De deur gaat nooit op slot, want ik krijg toch nooit bezoek. Wie iets stelen wil, zal weinig vinden: een paar bamboestoelen en -tafels, mappen eigen werk en wat lappen van mijn reizen. Geen sieraden, mijn trouwring heb ik lang geleden in de Atlantische Oceaan gegooid. Wat me rest, vult nauwelijks een koffer. In de kast hangt nog een aangevreten jurk voor je weet maar nooit: een besnijdenis, bruiloft of een bezoek van iemand van de ambassade. Ook daar willen ze weten wat ik hier doe.

Niet veel, vrees ik. Ik teken en geef me over aan mijn verval. Mijn rechter grote teen is een eigen leven gaan leiden en groeit in een knik naar rechts. Ik loop steeds moeilijker in het mulle zand. Er woekert iets achter mijn ribben dat me elke morgen vertelt dat lichaam en geest elkaar bij het ziek-zijn steeds meer bedriegen. Ik verlies mijn stem, ik verlies mijn Frans, ik verlies alles wat ik me met zoveel moeite heb eigengemaakt. Mijn stem is zo zacht geworden dat ik me moet inspannen om verstaanbaar te zijn. Mijn Frans is dun geworden, de ribbetjes van het Engels steken erdoorheen. Vroeger plukte ik de vreemde woorden groen uit de boom, nu vallen ze rot op de grond. Maar ik heb er geen last van, mijn innerlijke stem klinkt nog helder en jong.

Alles wordt weggevreten, behalve de herinnering. Langvergeten beelden komen terug... alsof iemand ze in mijn hoofd naar boven trekt. Ik hoor stemmen die ik niet kan verjagen. Elke nacht houden ze me uit mijn slaap. 'Het zijn de geesten,' zegt de gardien.

Als je me vorig jaar had gevraagd of ik in geesten geloofde, zou ik lachend mijn schouders hebben opgehaald en je vertellen dat ik aan hen dit huis te danken heb. Het stond al jaren leeg, niemand wilde erin wonen. Zelfs de vluchtelingen niet, die bouwden nog liever een krot van drijfhout dan dat ze ook maar één balk van dit dak wilden gebruiken. Vanwege die verdomde geesten. De eigenaar wilde het me voor een spotprijs verhuren. Ik hoefde er niet lang over na te denken, een huis met een dakterras en zo'n uitzicht. Het Ecologisch Centrum werd me toch te duur. Ja, ik ben daar ook begonnen, welke vreemdeling niet? William waarschuwde me dat alle vorige bewoners in dit huis gek waren geworden. 'Als jij er niet in gelooft, doen de anderen het wel,' zei hij, 'de mensen zullen je deur mijden.'

Al te kwaad konden die geesten toch niet zijn? De bevolking hield ze juist goed te vriend, er ging geen feest voorbij of er werd iets aan ze geofferd. Wat ik er zo van opving, hadden de geesten het eiland als eiland weten te behouden. Toen de Fransen een dam naar het vasteland wilden bouwen, vernietigden ze elke nacht het werk van de dag ervoor. Sindsdien ligt van het fort tot ver in zee een brokkelspoor van keien.

Zonder palmwijn had ik misschien nooit iets van ze gemerkt. Palmwijn maakt vreemde krachten in je los. Het slaat zich op in je bloed. Je hoort meer, ziet meer... het versterkt het goede en het kwade. Je moet het voorzichtig drinken, zeggen de kenners, want voor je het weet beleef je sensaties die je hele leven overhoophalen.

Stel je voor: je komt uit de woestijn, je hebt dagen in een bruine wolk geleefd, brandende dagen, geen dak boven je hoofd, je wilt op adem komen en neemt de sloep naar het eiland. Je wilt geen mensen zien, maar kunt toch niet zonder ze. Te lang alleen, je hebt je eigen stem in dagen niet gehoord en dan beland je, tegen je zin, op een feest. Een onbekende biedt je een beker palmwijn aan, je proeft niets, je keel is te rauw voor fijnzinnige smaken, maar je bent uitgedroogd en je drinkt en drinkt... en vóór je danst een jongen die in brand staat. Je gelooft je eigen ogen niet, maar zijn hitte slaat op je huid. Ja, ik voelde wat ik zag, toen, die eerste nacht op het eiland...

Het was op het grote plein, de zandvlakte waar de baobab staat en veel vluchtelingen wonen. Het was donker, een maanloze nacht, nergens brandde een lamp, ik wist natuurlijk niet dat de stroom weer eens was afgesneden. Alleen een fakkel verlichtte het plein en in het schijnsel daarvan danste een jongen. Het witte zand weerkaatste de vlammen, de huizen bewogen mee in de flakkerende schaduw en ook de gezichten van de palmwijndrinkers aan de kant gloeiden op. Ik zat midden tussen hen in, op een stoel. Eregast van het verboden bacchanaal.

De jongen vrat brandend riet. Zijn lippen waren zwart en

als hij lachte, vonkten zijn tanden. Naast hem stond een rode ton met een ijzeren tuit eraan. Hij sproeide het vocht over zijn lichaam en terwijl hij dat deed, draaide hij wild in het rond. Het brandend riet danste met hem mee... weg was zijn gezicht, zijn mooie ribbenlijf. Een vuurbol tolde over het zand. Ik sprong op, wilde hem blussen, maar vreemde handen drukten me terug in mijn stoel. De jongen wierp zich op de grond en likte de vlammen af. Hij zoende het vuur.

De voorbijgangers schonken er geen aandacht aan, ze keken weg naar de grond, misschien waren ze bang in het donker te struikelen. Niemand wierp de vuurdanser een muntje toe. Vonden ze dit gewoon? Als er een kind met open mond bleef staan kijken, werd het snel door zijn ouders weggetrokken, alsof ze zich ervoor geneerden. Maar de drinkers op de stoep voor het gekraakte huis hitsten de jongen op, ze roffelden op een halfvolle jerrycan. Als de vlammen kleiner werden, liep een van hen naar voren en vulde de rode ton bij. Branden moest hij en dansen.

Een kruidenkoopman die zich voorstelde als Sow had me naar het plein gebracht. Ik móest de palmwijn proeven. De vissers hadden een paar liter weten te bemachtigen. Dit was mijn kans, zei hij geheimzinnig. De bomen zaten nog goed in hun sap. Wie geen palmwijn had geproefd, wist niet wat Afrika was. Maar je moest wel geluk hebben, het was steeds lastiger te krijgen, eigenlijk was het verboden. Hij hield maar aan: 'Geen gids kan u dit bieden.' De tapper was een vriend, alsof dat vertrouwen in moest boezemen. Toch ging ik mee.

De eerste emmer zag er onappetijtelijk uit, troebel, vol vlokken. Vers leek het spul me niet, al kon ik het niet ruiken. De woestijnwind had mijn bronchiën aangetast en mijn hoofd zat vol slijm. Bovendien deed mijn huid overal pijn, alsof de storm me door mijn kleren heen had gezandstraald. Dorst maakt weinig kieskeurig en alcohol doodt alle bacillen.

Na twee bekers bracht de weeë smaak een lichte tinteling te-weeg. Mijn tong werd losser, mijn ademhaling rustiger. Nog een paar bekers en ik spoelde mijn verkoudheid weg.

Sow legde zijn hand op mijn pols: 'Langzaam, langzaam,' zei hij, 'deze wijn is door de wind gewiegd, druppel voor druppel uit de bast getapt, u drinkt te snel.' De vissers op de stoep vulden mij lachend bij. 'En zij dan?' zei ik, naar de mannen wijzend.

'Zij kennen hun grens.' Hij tikte bestraffend op mijn uitge-stoken vinger. Ik bood hem ook een volle beker aan, we zou-den wel zien wie moest betalen. Maar hij bedankte en knikte schijnheilig naar boven. Moslim? Zo nauw namen ze het hier toch niet?

De vuurjongen was weer opgestaan, sloeg het zand van zijn lichaam en begon zijn vreemde dans opnieuw. Dit keer stak hij zichzelf niet in brand, maar spuwde een vlam naar onze stoep. Een korte hevige vlam, die even aan het hout likte. De vissers schreeuwden het uit en riepen om meer.

Een tweede emmer kwam op tafel, het schuim danste erop. Deze zou nog beter smaken. 'En?' 'En?' Komisch, die vragen-de monden. 'En?' Ja, deze wijn was zachter en zoeter. De vis-sers verdrongen zich om mijn beker bij te vullen. Als ze me dronken wilden voeren hadden ze een moeilijke aan me, ik kon veel hebben.

Toen Sow zag dat de drinkers maar door bleven schenken, trok hij kwaad de beker uit mijn hand en foeterde ze uit. On-derwijl reikte iemand me achter zijn rug een andere beker aan. Nieuwe emmers werden aangedragen. Eigenlijk drong hun spel nauwelijks tot me door. De jongen vroeg al mijn aandacht, ik dacht dat ik hem hoorde schreeuwen, vloeken, huilen, maar in werkelijkheid vertrok hij geen spier.

'Kom, u heeft genoeg gehad,' zei Sow, 'straks ziet u nog spo-ken.'

'Die jongen is echt,' zei ik, 'kijk, hij drinkt vuur.' De danser stak zijn tong naar me uit, alsof hij me met zijn vuur wilde likken. Hij liet zijn heupen schokken en keek me verleidelijk aan. Zijn fakkel lokte, zijn armen wenkten, zijn hele lichaam zoog me op.

De vissers loeiden, deze dans ging ze te ver, mij kon hij niet ver genoeg gaan. Die draaiende billen, dat kwetsbare smeulende lichaam. De vissers begonnen te sissen, schopten in het zand, ze wilden vuur zien, geen verleiding. Er werd niet meer bijgeschonken. Ze waren boos. Een kerel pakte de jerrycan op, sloop naar de dansende jongen en gooide plotseling een scheut over zijn fakkel. Het vuur schoot op, gierde langs armen en benen. Een vlammend kruis stond voor ons. Ik gilde het uit. Maar de jongen wierp zich plat op de grond en bluste zich in het losse zand.

Benzine... ik rook benzine, mijn reuk kwam terug. De jongen nam zijn fakkel op en danste rustig verder. Wat was dit voor krankzinnig spel? Wilde die jongen dood? Zocht hij pijn? Ik moest het hem vragen. Misschien was het een onschuldig circusnummer. Maar Sow ging vlak voor me staan en hield zijn hand voor mijn ogen – ik rook kruiden, zoete kruiden uit de woestijn. Toen hij zijn hand weghaalde, zag ik pas hoe vriendelijk en zacht zijn trekken waren. Hij had een trotse neus, dunne lippen, en zo nu en dan lichtte de fakkel zijn prachtige zwarte ogen op. Sow herinnerde me aan de lange mensen uit de woestijn. De vissers leken in niets op hem, hun gezichten waren ronder, hun neuzen platter; de zee had ze klein gehouden.

Het was feest op het eiland toen ik voor het eerst in het dorp aankwam. De middagboot zat vol bezoekers en de pier was één pantoffelparade. De vrouwen hadden hun mooiste lappen uit de kist gehaald: goud, oranje, lichtgevend groen. Hun mannen flaneerden trots maar onwennig in hun gesteven boubous. Ze keken me misprijzend aan toen ik bestoft en bezweet van de boot stapte.

Ik had op de kade nog maar nauwelijks mijn rugzak omgedaan of een man duwde een kalebas vol bladeren en flesjes onder mijn neus. 'Dit zal u goeddoen, deze kruiden verjagen de vermoeidheid', en terwijl hij met de ene hand iets verdords onder mijn neus fijnwreef, sloeg hij met de andere het stof van mijn schouders. Ik kromp ineen, toen voelde ik pas hoe verbrand ik was in de woestijn.

'Op u heb ik gewacht,' zei de man en hij voerde me zachtjes mee naar een knalrode ezelskar die langzaam door de menigte naar voren reed. Dat was Sow. Ik verzette me niet toen hij mijn rugzak afnam en me in de smalle bak op twee wielen hielp. De ezelskar leek op een rijdende kermistent, behangen met franjes, kwastjes en handjes van Fatima. Blauwe lamoenstokken, gele zweep en leidsels, koperen toeter, een met roze vogels beklede stoffen bank en een huif die vanbinnen met zilveren sterren was beplakt. Toen ik zat, wilde ik onmiddellijk met dezelfde boot terug; wat moest ik op een toeristeneiland? Ik was te moe om op te staan.

Sow bezwoer me dat ik geen andere kar dan de zijne mocht nemen. De koetsier was zijn neef, zijn wielen waren mijn voeten, en híj zou mijn tong zijn, mijn oren en mijn ogen. Een betere gids was er niet op het eiland, hij zou me alles laten proeven, alles laten zien. En waar geen wielen konden komen, zou hij me laten varen. Wat dacht ik van een tour om het eiland heen, langs de wrakken in de gouden stroom, een bezoek aan het zeventiende-eeuwse fort? De koetsier klapte met zijn zweep en bracht me zonder iets te vragen naar een opgekalefaterde ruïne aan de rand van het dorp. *Centre Ecologique pour l'Afrique* stond er op een pasgeverfd bord naast de poort. In de voortuin lagen cementzakken. De hal was nog niet klaar en er liep werkvolk in en uit, kerels met glimmende bovenlijven en een grote talisman om hun biceps gesnoerd. Ik protesteerde niet, als er maar stromend water was en een bed. Warmte maakt gedwee.

Toen ik halverwege mijn middagslaap door een boorhamer werd gewekt en op mijn balkon wilde kijken waar ik terecht was gekomen, stonden Sow, neef en ezel rustig in de tuin te wachten. Ik deed net of ik ze niet zag, haalde mijn oude kijker uit mijn rugzak en ging alleen op verkenning uit. Beneden in het dorp lag een groot zanderig plein, daar moest ik maar eens naar toe. Onderweg hoorde ik twee wielen achter me knarsen.

Ik was hun toubab, een blanke nieuwkomer die je kon plukken, er zat niets anders op dan Sows diensten te accepteren, en nu, na ontelbare bekers palmwijn, zijn vriendschap.

'Hoe is het met de koningin-moeder?' vroeg Sow toen ik me weer in allerlei bochten wrong om de vuurjongen te zien dansen.

'Geen idee,' zei ik.

'Ik heb haar in Southampton gezien.'

'Interessant.' Als dit mijn gids moest zijn kon ik mijn lol op. Hij bleef doorzeuren: hoe de koningin langs de puinhopen liep en de troepen inspecteerde, dat de haven was gebombardeerd en dat er bomen door het cement heen groeiden.

'Ik heb in weken geen kranten gezien,' zei ik afwezig.

'Maar u heeft toch wel van de oorlog gehoord?' vroeg Sow.

'Welke?'

'De Tweede Wereld Oorlog.' Je hoorde hem de hoofdletters uitspreken.

'O, die.'

'Ik was daar, in Southampton, juli '44. Honderden van ons zijn naar Engeland gestuurd. Wat een plek, wat een plek,' zei hij hoofdschuddend. Nu werd ik toch gedwongen het vuur het vuur te laten en Sow nog eens extra goed te bekijken. Kon deze man al zo oud zijn of was hij een fantast?

'Ik heb Europa helpen bevrijden,' zei hij terwijl hij lenig naar de kalebas onder zijn stoel bukte en een stervormige medaille uit zijn kruiden viste. Geen lijn of plooi achter in zijn nek, alsof de tijd aan zijn lichaam voorbij was gegaan. Zonder erbij na te denken begon ik oneerbiedig aan de medaille te ruiken, zo hongerig was mijn geopende neus naar geuren. De kruiden jeukten achter mijn ogen en voor ik het wist, niesde ik het verschoten lint nat. Sow rukte de medaille uit mijn hand. 'Tirailleur. Division Leclerc,' zei hij verontwaardigd.

Ik was op slag weer bij zinnen: 'Ik haat oorlog.'

'Ik ook.'

'Laten we het er dan niet over hebben.'

De jongen kwam steeds dichter bij ons dansen, ik voelde zijn hitte op mijn huid. 'Amerika, Amerika,' zong Sow zacht voor zich uit. Hij had het aan mijn accent gehoord... eerlijk zeggen, kwam ik uit Amerika? Dappere soldaten daar, veel zwarten in het leger. 'De toubabs kunnen niet zonder tirailleurs, waarom moesten wij anders in hun oorlogen vechten? Algerije, Indo-China...'

'Hou op,' zei ik. Sow was beslist anders dan de mensen in de woestijn. Brutaler. Waar was hij op uit, wilde hij me soms een schuldgevoel aanpraten? Kon ik het helpen dat de koloniën hun dienstplichtige onderdanen als kanonnenvoer gebruikten?

'Wees niet boos,' zei hij, 'ik zie aan uw ogen dat ik u verdrietig maak.' Ik reageerde niet. De vuurdanser riep me met zijn fakkel.

Geen soldaat kon me meer tegenhouden, een vreemde kracht trok me naar hem toe, ik wilde mijn hand in de vlam houden, benzine drinken, de schroeilucht proeven. Een laatste slok palmwijn en ik stond op. De zeewind joeg de fakkel aan en ik voelde mijn oude krachten terugkeren. Ik duwde Sow opzij en liep recht op de jongen af. Ik was klaar voor de vuurproef... de grond deinde... ik richtte mijn ogen op het vuur. Een paar kerels kwamen achter me aan, ze trommelden dreigend op de jerrycan. Dit keer nam de jongen een slok uit de ton en blies ze met een vuurstraal terug naar de stoep. De omstanders brulden het uit. Ik maakte me breed voor eenzelfde lading, maar toen ik voor hem stond, gooide hij zijn fakkel in het zand en groette me met zijn rechterhand op zijn hart.

De jongen glom van de benzine. Zijn wangen zaten onder de littekens en in zijn oksels en zijn liezen kleefden dikke lagen roet. Hij droeg een druipnat zwart broekje, verder was hij naakt. Mijn blik dwaalde onwillekeurig naar zijn kruis, waar een kleine cashew achter de strakke stof hing – een kind dat uit het bad stapte, mijn handen brandden om hem af te drogen. Toen ik beschaamd weer opkeek, zag ik dat zijn wimpers en wenkbrauwen waren weggeschroeid. Hij kon de angst in zijn ogen niet verbergen.

De vissers kwamen in opstand, ik had hun spel verstoord. Hun stemmen schalden over het plein, de rustige stem van Sow ging ertegenin, maar ik hoorde niet wat hij zei, de buitenwereld drong niet meer tot me door, ik wilde de jongen troosten, hem tegen me aandrukken, maar niet ik greep hém, hij greep míj beet. Mijn pols gloeide in zijn harde hand, met de andere pakte hij de ton en de fakkel op en zonder een woord trok hij me mee een steeg in. Toen het gejoel wegstierf liet hij me los, het was kennelijk veilig, maar ik kon geen hand voor ogen zien, de fakkel walmde. Ik hoorde hem wegrennen en liep zo snel als ik kon achter hem aan. Ik moest weten wat hem bezielde.

Bij een hoek hield hij stil om de ton brandstof op zijn rug te binden. Hij leek niet verbaasd dat ik hem daarbij hielp, hij lachte zelfs, zodat de littekens op zijn wangen verdwenen en hij weer mooi werd. Toen we een wiel hoorden knarsen, doken we samen een smalle zijsteeg in. We liepen langs donkere huizen, belandden in een wilde tuin die overging in een bos. Op het plein hoorde je tussen het gejoel van de drinkers nog het geraas van de zee, maar in het bos kreeg de nacht meer nuance. Eerst krasten de nachtkrekels en toen een klamme wind mijn gezicht likte, namen de kikkers het van de krekels over; hoog in de bomen hoorde ik apen lachen. De stammen werden breder en behalve van de fakkel drong er geen licht door het gebladerte heen. Ver weg klotste water, boten in water. Naderden we de andere kant van het eiland? Toch rook ik geen zee. Was het de ton op zijn rug?

De jongen was amper bij te houden, ik had in jaren niet zo hard gelopen. De wijn gistte alles in me los, mijn spieren, mijn benen en het meest nog mijn hoofd, ik werd steeds duizeliger, maar omdat hij zo naakt was durfde ik hem niet aan te raken en zocht ik houvast aan zijn schaduw. Hoe langer we liepen, hoe beladener ons zwijgen werd. Tot ik in de verte vuurtjes zag branden en silhouetten van hutten naast de mangroven.

'Woon je daar?' vroeg ik met dubbele tong.

'Ik spreek geen Engels.' Zijn stem klonk schor, het vuur had de kracht eruit gebrand.

'Waarom steek je jezelf in brand?' zei ik in mijn beste Frans, beschaamd dat ik hem in mijn eigen taal had aangesproken.

Hij zweeg. Twee vissers duwden een *pirogue* het water in, kleine jongens schenen hen met olielampen bij.

'Wat een kalme zee vannacht,' zei ik.

Hij draaide zich om. 'Weet u wel waar u bent?'

'Nee, jij bent mijn gids.'

Hij lachte opnieuw, ik begon hem aardig te vinden. 'Dit is de kreek.'

'Wat breed, het lijkt wel een zee.'

'De zee ligt een uur varen van hier.' Hij daalde af naar een smal pad langs de oever en we trapten zoete, mij onbekende geuren los.

'Paradijs,' zei ik zacht voor me uit.

'Voor u... niet voor ons.'

'Jullie lijden toch geen honger? Het is hier mooi en vredig, jullie hebben de ruimte...'

'Mijn vrienden niet.'

'De zee zit vol tonijn.'

'Ze sluiten ons op.' Hij wees met zijn fakkel naar de mangroven en kon zo de schrik op mijn gezicht niet zien.

'Hoe kan dat, wie doet dat?'

'De regering. De regering wil ons weg hebben. We zijn allemaal verdacht, separatist of niet.' Het was plotseling zo'n ernstige jongen, ik kon me niet meer voorstellen dat hij me kort tevoren met vuur wilde verleiden.

'Ze pakken op wie ze willen,' zei hij, 'vroeger was het eiland ons goedgezind, maar nu het erop aankomt laat iedereen ons vallen. De hoofdstad krijgt steeds meer macht.'

'Ben jij een separatist?' vroeg ik ongelovig.

'Natuurlijk.'

'Maar hoe wil zo'n klein eiland zich losmaken...'

'Ik kom uit het Zuiden,' onderbrak hij, 'we vechten voor een vrij en onafhankelijk Zuiden.'

'Wat zoeken jullie dan hier...?'

'U weet echt van niets, hè? Waar komt u vandaan? Heeft u nog nooit van de Verandering gehoord, de Grote Verandering?' Zijn adem stokte van verontwaardiging. 'De regering wil ons ons land afnemen, ze eisen onze olievelden op, wie protesteert gaat eraan. Het leger ontruimt de dorpen langs de zuidkust, mannen worden gedeporteerd, vrouwen en kinderen de woestijn ingejaagd.'

'Vrouwen en kinderen?'

'Ze schieten op ze, om ze nog banger te maken. Er zijn tientallen lijken in de woestijn gevonden. Leest u geen kranten?'

'Ach, kranten overdrijven zo.'

'En de jongens, ze ontvoeren de jongens en lijven ze in bij het leger. De blanken weten ervan... ze hebben ons land bij de onafhankelijkheid aan het Noorden gegeven, maar het is al eeuwen van ons. Het is diefstal.'

De fakkel vonkte in de drift van zijn betoog, onbewust deed ik een paar stappen achteruit. Voorzichtig, niet mee bemoeien, dacht ik, één verkeerd woord en je bent partij.

Het Zuiden, het opstandige Zuiden... ik had het kunnen weten... Die jongen had gelijk, de vergeelde buitenlandse kranten die ik onderweg had opgevist schreven er al maanden over. Het Zuiden was de vergeten tuin onder de grote rivier, het land kon de groeiende bevolking niet meer voeden en de mannen waren massaal naar de steden in het Noorden getrokken. Daar zetelde de vernieuwing, de macht, de regering, en die accepteerde liever een zending meel uit een rijk land dan dat ze de achterlijke boeren in het Zuiden hielp. De elite in het Noorden was katholiek, de oude koloniale machthebbers hadden bij hun vertrek de christenen stevig in het zadel geholpen. Het Zuiden was islamitisch. Het Noorden bevoordeelde alleen de eigen clan. En nu was er niet lang geleden in het Zuiden olie gevonden. De boerenzonen uit de steden waren naar het land van hun ouders teruggekeerd en eisten onafhankelijkheid. Dat was de Verandering, de opstand van de vernederden. Leidingen werden opgeblazen en de oliemaatschappijen aangeklaagd. Het was een verwarde strijd en de regering was hard opgetreden... zoiets, daar kwamen de krantenberichten ongeveer op neer. 'Sorry,' zei ik.

De jongen vond het niet meer nodig mij bij te lichten. Zijn verontwaardiging ontnuchterde me een ogenblik en ik begreep niet goed waarom ik achter hem aan bleef lopen. Hij had een herinnering in mij opgeroepen die ik niet plaatsen kon, iets vaags dat ergens in mijn geheugen moest smeulen. Ik wilde het weten en vergeten tegelijk.

'Waarom doe je zo gevaarlijk?' vroeg ik.

Hij sloeg op de bodem van de ton: 'Om mijn vrienden te helpen, ze hebben brandstof nodig om zich te verwarmen. De regentijd komt.'

'Je verspilt de helft, wat een omslachtige manier.'

'Er is geen andere manier om eraan te komen. Brandstof is schaars op het eiland. De sloep brengt het niet, er zijn hier geen auto's, geen fabrieken, en de vissers halen het op het vasteland. De hoofdstad boycot het eiland omdat er te veel vluchtelingen zijn.'

Een onwaarschijnlijk verhaal voor een olieland, maar dat betekende nog niet dat het hier niet koud kon zijn. De koude golfstroom botst hier op het eiland. Ik wilde de jongen geloven, hoe raadselachtig hij zich ook gedroeg. Waarom kocht hij niet gewoon benzine? Ach, hij had natuurlijk geen cent. Ik zocht naar mijn portemonnee en ontdekte dat ik mijn kijker op de stoep bij de palmwijndrinkers had laten liggen, met mijn geld en paspoort in het etui. Er rinkelden alleen wat losse munten in mijn zak De jongen hield beide handen op. Ik gaf hem alles wat ik had.

'Meer,' zei hij.

'Koop er eten voor.'

De jongen keek me hooghartig aan en zette er krachtig de pas in, teleurgesteld dat ik niet voor zijn zaak te winnen was.

Voorbij de mangroven lag een verlaten huttendorp, daarachter doemden de contouren van een groot huis op. Nu ik me weer in de bewoonde wereld bevond, moest het mogelijk zijn de weg terug naar het Centrum te vinden.

'Kom,' zei de jongen, 'ik zal u laten zien waar mijn vrienden zitten.' Hij opende een houten poort en we stapten een erf op waar vogels wegvlogen. Hier en daar kakelde een kip. We hielden stil voor een muur en tegen die muur groeiden witte, zoetgeurende bloemen. 'Wacht,' zei hij gespannen. Hij klom op een stapel stenen en zei: 'Hier is het.' Hij gaf me de restanten van zijn fakkel, gespte de buikriem van de ton steviger vast en klauterde klotsend over de muur. Ik ging ook op de stenen staan en zag dat boven op de rand glasscherven in het cement gestoken zaten; bij het stuk waar de jongen eroverheen klom, waren ze weggeslagen. Hij moet mijn ogen gevoeld hebben, want toen hij de binnenplaats overstak, draaide hij zich om en gaf als groet een klap tegen zijn ton. Daarna liep hij naar een stenen gebouw met zwarte, kleine ramen... tralies, voorzover ik in het kwijnende licht van de fakkel nog iets kon onderscheiden. Iemand floot en rammelde met sleutels, een lange schaduw schuifelde naar voren, een hek ging open en er verscheen een man. Hij droeg een pet, de jongen knielde en ik hoorde de ton over een stenen vloer rollen. De fakkel stikte in zijn eigen rook. Ik kon niets meer zien.

Na een dronken zwerftocht werd ik door een ezelskar opgepikt. We reden langs een kreek waar ik mannen achteruit zag lopen. Kleine kinderen kropen uit de grond, lachten me uit en doken terug in een gat. Vrouwen bonden witte lappen aan de bomen. We staken een veld over waar dikke mensen hun armen de lucht in staken. Ook zag ik een hand in de berm, een hand die een duim opstak. De koetsier van de ezelskar kon zijn hoofd omdraaien zonder zijn schouders te bewegen. Hij keek me recht in het gezicht, kneep me in mijn benen om te voelen of ik er nog zat, en dat alles zonder vaart te minderen. Hanen begonnen te kraaien, maar de horizon bleef donker. Toen ik omkeek zag ik een paar zilveren sterren voorbij-schieten.

Even later stopten we voor de poort van het Ecologisch Centrum. Sow stond onder het slappe licht van een olielamp tegen de muur geleund, lachend, pesterig – in zijn koperkleurige boubou, spelend met mijn kijker, het leren etui los over zijn schouder. Hij kneep een oog dicht en zocht me met het andere door de lens. Ik voelde hoe ik in de kleine ronde cirkel gevangen raakte. Tranen kwamen op, alsof ik mezelf alleen met tranen uit zijn oog kon wegduwen. Ik begon luid en schokkend te huilen – het moest de palmwijn zijn, zoiets was me nog nooit overkomen, het hield niet meer op – de alcohol prikte in mijn ogen. Sow liep op me af en sloeg zijn arm om mij heen. 'Sorry,' zei ik, 'ik stel me aan.'

'Ik heb vaker toubabs zien huilen,' zei hij.

'Die vervloekte palmwijn...'

'Het is menselijk.'

'Ik ben bang, dat spul maakt me doodsbang.'

Een blikken stem galmde over de daken. Allâhoeeee... Sow leidde me behendig langs de nachtwaker, ik weet nog dat we onze schoenen uitdeden om William niet wakker te maken. De muren deinden en ik kreeg de sleutel niet in het slot van mijn deur. Toen ik me omdraaide om Sow om hulp te vragen, zag ik hem juist door de knieën gaan, in die kale gang tussen de troffels en bakken cement. Hij waste zijn handen in de lucht, drukte zijn voorhoofd tegen de grond en mompelde zijn gebed. Wat had ik toen ook graag een god gehad, een god die ik uit kon schelden.

Slapen lukte me niet, de beelden tolden door. Ik zag steeds weer de mensen die ik dagen geleden in de woestijn was tegengekomen. Die stoet over de heuvels, trillend in de lucht, als in een droom, maar het was geen droom geweest..

Ik dacht eerst dat het soldaten waren, meende de zon in geweren te zien weerkaatsen en dook met mijn paard achter een duin. Toen ze naderbij kwamen, bleken het vrouwen te zijn. Hun koperen armbanden schitterden, maar verder zagen ze er gehavend uit, uitgemergeld. Ze schuifelden met gebogen hoofd door het zand, steunend op houten schoppen. Ik zwaaide, alleen de voorsten keken even op en zonder een woord of gebaar keerden ze zich om en verdwenen in een glooiing tussen de heuvels. Ook zij zochten de rivier.

Ergens achter de heuvel moest water stromen, mijn paard volgde de richting van de duiven, daar zouden ook bomen zijn en hutten en voedsel en mogelijk het begin van een weg. De heuvels hadden hier geen namen meer, ik was in de tijd en op de kaart verdwaald. Ik moest ongemerkt een grens zijn gepasseerd en in een ander land terecht zijn gekomen. Ik was zo uitgeput dat ik bang was van mijn paard te vallen.

Een paar uur later zag ik de vrouwen weer, of misschien waren het andere want dit keer hoorde ik kinderen huilen. De groep rustte. De kinderen keken me met holle ogen aan, ze waren te uitgeput om de vliegen van hun ogen weg te slaan. Hun hoofden waren groot, maar hun verstand leek op sterven na dood. Ze zaten als dorre stronken in een kring. Wat ze aan kleren droegen was niet meer dan spinrag over hun vel. De vrouwen wreven grauwe bladeren over hun tandvlees en smeerden het mengsel van sap en speeksel in de monden van de kinderen. Het moest de honger en de dorst verdrijven. Ik wilde hen van mijn veldfles laten drinken, maar besefte dat het een dwaas gebaar zou zijn, één liter voor meer dan honderd kelen.

Mijn moeheid veranderde in schaamte. Deze mensen waren al eeuwen moe: de onverwachte wervelstormen – soms was de hemel zo zwart als het roet uit een smeltoven – de zon en de honderden vliegen die aan hun zweren kloven, het deerde ze niet. De honger had ze verdoofd, pijn leek ze niet meer te raken. Dat ze me negeerden kon ik me voorstellen, een blanke vrouw in de woestijn moest in hun ogen een spookverschijning zijn, maar waarom doken ze niet weg als er een verkenningsvliegtuig overkwam? Waarom deden ze geen enkele moeite om de glans van hun armbanden te verbergen? Iedereen had me gewaarschuwd voor woestijnbendes. Geruchten? Warlords waren actief in deze streken, dat hoorde je overal, vliegtuigen speurden de horizon af naar wapensmokkelaars.

Moest ik de vrouwen niet waarschuwen? Ik kon ze de richting wijzen. Ik had een kijker en een kompas. Ze beseften nauwelijks waar ze heen gingen. Naar de hemel? Sommige vrouwen wezen naar de hemel.

Ik keek beschaamd naar de grond en gaf mijn paard de vrije teugel. Het landschap werd vlakker en een vaal groen doemde op, de eerste acacia's en lage doornstruiken. Ik draaide me om en keek nog een keer naar de donker wordende horizon. Plotseling hoorde ik het geronk van motoren. Vliegtuigen zag ik niet, tussen de heuvels spoten fonteinen zand omhoog. Een beschieting uit de lucht? Ik smeekte dat het de donder was, donder en wind. Ja, dat was het.

Mijn paard werd hoe langer hoe onrustiger, de rivier kon niet ver meer zijn, maar al wat we vonden was *reg*, grindwoestijn, zijn hoeven krasten over de kleine keien. De wind had een veld aan keien blootgelegd. Toen ik afsteeg en het paard naar water liet zoeken, zag ik een versteende hoefafdruk. Een gazelle, een antilope, een os? Miljoenen jaren geleden moet hij er hebben gegraasd, de wind had de sporen met leem toegedekt, laag na laag, de tijd had ze versteend, tot de natuur besloot de aarde tot grind te breken en de afdruk weer aan de oppervlakte terug te geven. Je vraagt je af waarom juist dit stempel verval en vernietiging heeft overleefd, een geurloos hoefje van een onnozel dier. Niet de sandaal van een farao, een Hebreeër of negerkoning. Niks ouds had er standgehouden, nog geen brokstuk paleis of nederzetting, niets, of het moesten de afgestompte bergen zijn waar je soms een oude vuurplaats tussen de rotsen kunt ontdekken. De natuur had de zwakste uitverkoren – het hoefje; van de veroveraar geen spoor.

Mijn paard was verzadigd en wentelde zijn flank in de koele omgewoelde stenen. Ik maakte me op voor de nacht, onder de blote hemel, als altijd. Een deken had ik niet nodig, want na zonsondergang bleef het warm en klef.

De volgende morgen lag er een lichte dauw op mijn kleren, in de schaduw van de stenen groeide zelfs een vleugje mos. Een vreemde trilling trok door de atmosfeer, de zon verdween, de grond bewoog. Vliegtuigen, weer dat ronkende geluid. Ditmaal moesten ze dichtbij zijn. Een schaduw trok over ons heen. Mijn paard hinnikte van angst en draafde naar een kleine acacia. Ik ging plat op de grond liggen en wachtte gelaten op de klap. Zand dampte in mijn gezicht, toen ik me even oprichtte om adem te halen, hagelde het tegen mijn wangen. Opspattend zand, bomscherven. Mijn paard raakte in paniek. Ik wilde hem roepen en hapte in een krioelende massa, kokhalzend spuugde ik een roze moes uit. Sprinkhanen. Duizenden vleugels waaiden me koelte toe. Ze kropen in mijn oren, jeukten aan mijn lippen, wroetten in mijn speeksel, ze wilden naar binnen toe, ze hadden dorst. Ik proestte, trapte, sloeg ze van me af. Vanuit een ooghoek zag ik een acacia zwaar en zwart worden, één tel later richtte de boom zich weer op, kaal, halfgebroken. Het paard was nergens te bekennen. Een trillende sneeuw viel uit de hemel, donker in de lucht, helder op het grauwe zand. Ik verborg mijn hoofd onder mijn rugzak, maar de sprinkhanen kropen in mijn hemd, proefden de naad van mijn billen. De lucht trok open, de wolk vloog op en de wereld was nog grauwer dan daarvoor, ook het mos onder de stenen was opgevreten. De laatste druppel sap was uit de aarde gemolken.

Zo verandert een herinnering in een droom. Of was het toch andersom? Want hoe verward was ik niet de volgende morgen in dat vreemde bed. Waar was mijn paard? En waar was ik? In een verduisterde kamer waar ik niets herkende, alleen het zand op mijn kussen, zo vertrouwd krassend... en naast me, kuis aan de andere kant van het matras, boven op de helft van mijn laken, een snurkende Sow. Muilen aan zijn voeten, boubou in de plooi.

Zijn kalebas stond op tafel, de lucht in mijn kamer was zwaar van de kruiden. Ik gaf hem een flinke por.

'Wat doe je hier?' vroeg ik.

'Over u waken.'

'Verlaat ogenblikkelijk mijn kamer.'

'Graag.' Hij stond op, pakte zijn kalebas en liep naar de deur. 'Excuses.'

'Ik zal de directeur zeggen dat je niet meer op het terrein mag komen.'

'Vertel er dan bij dat u me dwong... dat u me gesmeekt heeft bij u te blijven. En kijk, vertel hem wat u zich gepermitteerd heeft.' Sow trok de wijde mouwen van zijn boubou op en liet me de striemen op zijn armen zien. 'U probeerde me te slaan toen ik u na mijn gebed alleen wilde laten. U was door het dolle heen.'

'Eigen schuld, jíj hebt me in deze situatie gebracht. Ga weg.' Ik draaide me boos om en keek recht in de gesp van mijn broekriem die als een slang naast mijn kussen lag. Wat had ik gedaan, waar kwam die passie vandaan? 'Sorry,' zei ik.

'Mag ik nu gaan?'

'Kan ik me buiten nog vertonen?'

'Niemand heeft iets gemerkt.'

'Ik heb me misdragen.'

'Mijn mond is een grot vol geheimen.'

'Mooi gezegd, maar ondertussen lachen jullie om die malle toubabs.'

'Ik ben geen jullie.'

'Sorry. Ik weet het, ik ben verschrikkelijk. Geen enkele beschaving. Dank u voor uw goede zorgen, meneer de gids, maar ga nou alsjeblieft weg.' Ik trok mijn kijker naar me toe, opende het etui en haalde een paar dollar uit mijn portemonnee.

'U moet zich niet nog meer vernederen,' zei Sow terwijl hij vol verachting mijn geld wegwuifde.

'Neem het en ga. Geef het anders aan je vrienden, die zullen ook wel denken.'

'De vissers hebben niet geleerd door een witte huid heen te kijken.'

' Gisteravond zagen ze een beest.'

'Na gisteravond bewonderen ze u meer dan ooit, zoveel palmwijn als u zouden ze zelf niet durven drinken.'

'Wat een moed.'

'Niemand zag dat u bang was.'

'Bang?'

'U zei het me zelf toen u hier terugkwam, maar ik had het al gevoeld, herkend. Ik heb zoveel angstige blanken gezien. Mannen die je op het ene moment als slaaf behandelden en het even later huilend in hun broek deden, trillend van angst. Sinds ik als kind ontdekte dat de blanken ook zwart poepen, was ik niet zo verbaasd geweest als toen, in de oorlog. Ik kende alleen de toubab die bevelen gaf. Tot ik op het slagveld blanke officieren in doodsnood de talismans van mijn gesneuvelde kameraden zag lossnijden. Ze geloofden niet in onze *grisgris*, maar hun angst won het van hun scepsis.

Schaam u niet, madame, u heeft uw menselijkste kant getoond.'

Verdomd, die neger ging meelij met me zitten hebben. 'Waarom begin je elke keer over de oorlog?' schreeuwde ik. 'Om me te vertellen dat jij fatsoenlijker bent dan al die arrogante blanke ruziemakers op de wereld? Dacht je dat ik dat niet wist. Hou ermee op.' Ik verslikte me, mijn mond was te droog voor zoveel woorden, ik moest hoesten en huilen tegelijk.

Sow pakte de karaf van tafel en schonk me een glas gekookt water in. Ik dronk het in één teug leeg. Daarna rommelde hij nog wat in zijn kruiden en sloot de deur. Zacht, welgemanierd.

Het werd koud en donker. Ik zag zwarte mensen mijn kamer binnenlopen, de muren liepen in heuvels over. Mijn bed stond half buiten, half binnen. Knipperde ik met mijn ogen, dan waren de beelden weer weg.

Uren later schoot ik wakker. Iemand was in mijn kamer geweest, de sprei lag als een spanlaken over me heen. Er dreef een vlieg in een vol glas water. Mijn broek hing keurig opgevouwen over een stoel, mijn riem ernaast. Het rook benauwd in de kamer. Ik stond op, opende de deur en keek in een donkere gang. Twee hielen schoten de hoek om. Sow? Ik zweette en zocht verkoeling op het balkon. Buiten was het stikdonker, alleen geluiden, krekels, de zee, maar mijn gevoel voor richting was ik kwijt. Ik rilde van de kou. Een lamp kwam aangelopen, een mannenstem vroeg bezorgd hoe het met me ging. Wat zag ik eruit! Ik had zo geijld toen Sow mij binnenbracht. Er stond vers fruit voor me klaar, met beterschap van William. Mocht dat ook straks worden gebracht? De stem kon nu niet weg. Het was de nachtwaker.

'Hoe laat is het?' vroeg ik.

'Vier uur, mevrouw, vier uur 's nachts.'

Pas toen ik voor de spiegel in de badkamer stond zag ik dat er een talisman om mijn rechterbovenarm gebonden zat, een klein vierkant leren etuitje met rode wol omwonden. Nu had ik ook mijn grisgris. Het rook naar kruiden. Ik stapte ermee onder de douche en zag hoe de wol een rood spoor over mijn verbrande arm lekte. Ik moest me beheersen de talisman niet open te pulken, maar besloot hem toch te laten zitten. 'Weg, weg, pijn,' zei ik een paar keer hardop, en tegelijkertijd huiverde ik bij de gedachte dat Sow aan mijn lichaam had gezeten. De straal van de douche kon me eigenlijk niet hard genoeg zijn, ik moest me zuiveren, boete doen. Het water gutste langs mijn tanden, in mijn mond... na een paar slokken kwam mijn dronkenschap terug...

De douche. Ik sta thuis onder de douche. Mijn zoon komt zonder kloppen de badkamer binnen, ik zie hem door de spleet van het plastic gordijn. Zonlicht vlamt achter zijn hoofd. Het groen van zijn uniform is bijna zwart, de beige streep goud. Hij houdt een konijn in zijn armen. Hij aait het, kroelt over zijn buik. Ik kijk vertederd toe. Ik houd van mijn zoon; zacht is hij, als de vacht van een konijn. Dan pakt hij het dier in zijn nekvel en slaat het met zijn kop tegen de tegelmuur. Dood. Hij gooit het lijk de douche in, draait zich om en loopt weg. De rug van mijn zoon is de rug van een vreemde...

Alles draaide. Ik sloeg een handdoek om me heen en strompelde druipend naar mijn bed. En dan sleurde de slaap me weer naar duistere diepten, ik wist niet meer wie ik was, waar ik was, ik zweette overmatig. Buiten bleef het donker. Kon een nacht zo lang duren? Geen idee waar mijn horloge lag. Ik zag dat er opnieuw iemand op mijn kamer was geweest, het fruit stond op het nachtkastje. De harsgeur van de mango vulde de ruimte.

Toen het zonlicht me wekte, zat William naast me. Bord

rijst op schoot en zorgelijke ogen. Ik walmde van de palmwijn, zei hij. Arme, arme bomen, ik moest me schamen.
Palmwijn was vroeger voor een elite, niet voor Coca Cola-toe-
risten. Als iedereen het ging drinken zou geen boom het
overleven. Ik had een slecht voorbeeld gegeven, de naam van
het Centrum door het slijk gehaald. Zijn stem bonkte in mijn
hoofd, geen boer of wind kon hem verjagen. William had iets
beters voor me, een kruidendrank; hij kende een man die gif
met tegengif kon bestrijden.

Na twee dagen ontwaakte ik uit mijn dronkenschap. Het liggen had mijn spieren verstijfd, ik kon nauwelijks meer lopen
en na wat gestrompel door de gangen viel ik in handen van
een kok met plezier in knijpen. Ik moest het gif uit mijn spieren laten melken, zei hij, niks kruiden, zo deed je dat. Met de
pindasaus nog onder zijn nagels kneedde hij ongevraagd
mijn nek; had hij van zijn moeder geleerd, die kon elke drinker nuchter knijpen. 'Palmwijn jaagt een andere wereld door
je bloed,' zei hij, 'je gaat ervan hallucineren.' Hij had het aan
den lijve ondervonden: 'Een keer voelde ik mijn ogen uit
mijn hoofd opstijgen en zag mijn eigen voeten zoals een ade-
laar, scherp en toch heel ver weg.' De kok kende drinkers die
in hun wanen waren blijven steken en voor altijd gek bleven;
en een vrouw op het vasteland had in een roes haar man en
kind vermoord. Na mijn nek masseerde hij kaak en strotten-
hoofd, daar zat de bron van het kwaad. Hij proestte van het
lachen, de vuilak, ik moest hem gorgelend beloven voortaan
niet meer dan één glas te drinken.
   De nachtwaker zei me dat palmwijn het contact met de 'bo-
venwereld' bevordert. Ervaren drinkers genieten veel respect,
ze kunnen met de geesten praten en met hun hulp in de toekomst kijken. Het zijn zieners, je kunt met alle problemen bij
hen terecht. De palmwijn heeft ze een wijsheid gegeven die

voor gewone nuchterlingen niet is weggelegd. O ja, hij had ze vaak geraadpleegd want een nachtwaker piekerde wat af in zijn leven. Een begaafd drinker hoeft ook nooit voor zijn eigen palmwijn te zorgen. Er zijn dorpen waar ze hun zieners iedere dag dronken voeren.

'Het is zwaar werk,' zei de nachtwaker.

Hij haalde me de woorden uit de mond.

'Alleen de sterken kunnen het aan.'

3

Schaduw en rust leken me de beste remedie de eerste dagen. Timmerlui legden de laatste hand aan de houten poort van het Ecologisch Centrum, geen dorpeling kon meer ongevraagd binnenlopen. Sow liet zich niet zien en William ontweek me. Misschien had ik hem nederig om een nieuwe fles kruidendrank moeten vragen.

Ik liet een goedkope zonnebril halen, eentje met spiegelende glazen zoals de opgeschoten jongens op de pier dragen, en sleepte mijn ligstoel naar de koelste plek van de tuin. Wijdbeens soezend onder een trompetboom verlangde ik schunnig naar de harde handen van mijn kok.

Zodra ik was aangesterkt zou ik verder gaan... verder naar waar? Ik reisde al jaren zonder plan. Alleen onderweg kon ik het leven aan, als ik maar om de zoveel weken in de buurt van een duur hotel uitkwam om mijn tekeningen te verkopen. Maar waarom zou ik nog, ik was te oud en te moe om in het vreemde iets nieuws te zien, werd het niet tijd ergens langer te blijven, op dit eiland bijvoorbeeld, ook al kende ik het nauwelijks en gruwde ik van het idee elke dag dezelfde mensen tegen te komen.

Als kind haatte ik het om telkens afscheid te moeten nemen. Mijn vader was landmeter, we woonden nooit langer dan een paar maanden op één plek. Was je net gewend aan een nieuw accent, andere manieren, dan trok je weer weg. In elke plaats moest je je invechten, ik bleef altijd dat vreemde meisje aan de rand van het schoolplein. Ik droomde ervan gewoon te zijn, buren te hebben die je groeten, in dezelfde winkel als zij kleren te kopen en niet uit een catalogus. Later zou ik een man trouwen die lid was van alle plaatselijke clubs. En ik vond zo'n man, maar wat hield ons huwelijk in? Drie keer in de week 's avonds thuis een vergadering, overhemden strijken, overdag voor de klas staan en bij elkaar blijven tot de dood ons na vierentwintig jaar scheidde. Het was niet goed, niet slecht, het was een klooster. Kaal en veel te kuis. Gewoon-zijn viel me bitter tegen.

We kregen een zoon, Jim, híj zou het leven uitdagen en later de dingen doen die mij niet lukten. Maar Jim moest naar Vietnam, als een van de eersten van onze stad. Mijn man vond het prachtig – 'dit is mijn zoon Jim, hij is marinier en vecht voor onze vrijheid in Vietnam' –; kon hij met zijn vaderschap toch nog een heldendaad verrichten. Jim kon de uitdaging niet aan, tijdens zijn opleiding werd hij zo bang dat hij erover dacht te deserteren. Hij vroeg of ik hem geld wilde lenen zodat hij via Canada naar Zweden kon om onder te duiken. Niets gegeven... te lang geaarzeld. Ik wilde hem niet in het ongeluk storten, als ik hem hielp zou ik hem voor eeuwig opjagen. Dus deed ik niks. Ik begreep niet hoe iemand bang voor de dood kon zijn. Passie voelde ik niet in die dagen, alleen dat ik zelf dood wilde.

Jim legde zich bij de omstandigheden neer – kind van zijn moeder, dacht ik nog. De dag voor hij vertrok vertelde hij over het konijn. Zijn bataljon kreeg de laatste instructies over ontsnappen, vechten en overleven in de jungle. 'Konijnenles' noemden ze dat. De instructeur houdt een konijn omhoog en laat de mannen met het beest kennismaken. Die spelen ermee, knuffelen, aaien het. Dan pakt de instructeur het konijn weer op, pakt het bij zijn nek, vilt het levend, snijdt de buik open en gooit de ingewanden terug in de groep. De moraal was dat je in een oorlogssituatie nooit zwakheid of vertedering mocht tonen. Om te overleven moet je kunnen doden. Ze hadden allemaal een levend konijn gevild. Na deze les was ook Jim klaar voor Vietnam.

En hij kwam terug. Verminkt, maar met een onderscheiding – Medal of honor – omdat hij een buddy onder kruisvuur uit een brandende tank probeerde te redden, en toen de tank voor zijn ogen explodeerde, eigenhandig zeventien Vietnamese soldaten had gedood. Mijn man was trots op hem en ik neem aan dat ik blij was dat hij nog leefde. Ik weet het niet meer, van die hele oorlog wilde ik toen niets weten. Maar met Jim terug in huis kon ik Vietnam niet meer ontwijken. Hij kreeg depressies, moest ervoor behandeld worden. Elke nacht schreeuwde hij het uit. Hij schaamde zich dat hij geëerd was voor het feit dat hij zijn zelfbeheersing had verloren. 'Wat zou er gebeurd zijn als ik in New York zo tekeer was gegaan?' Een jaar na zijn heldendaad stierf hij zelf door een kogel. Hij was met een pistool een bank binnengelopen en had de bewaking onder schot genomen. Ik vrees dat ik zijn dood als een verlossing heb ervaren. Voor mij en voor hem. Jim was levensmoe en hij zocht iemand om de trekker voor hem over te halen. Twee jaar later stierf mijn man, van verdriet. God, wat was ik jaloers. Ik zei mijn baan op, verkocht ons huis en ging reizen. Alleen, trekkend van plaats naar plaats, zo voelde ik me het veiligst. De oceaan over. Mijn trouwring gooide ik in zee, in de onnozele hoop dat ik zo ooit eens een arme visser gelukkig zou maken. Geen banden meer. Geen verraad.

Onder de trompetboom, in de verlaten tuin van het Ecologisch Centrum, doorzocht ik mijn herinneringen. Ik wilde afdalen tot waar de woorden nog niet reikten. Ik deed mijn best heel klein te worden... Ik moet drie, vier jaar oud zijn geweest. Met mijn vader en moeder zit ik ergens in New Mexico op de metalen trap van onze trailer. We zoeken met zijn kijker de lucht af. Een koppel trekganzen vliegt over. Mijn vader wijst me op een gans die achterop blijft, we volgen hem om beurten en zien hoe hij steeds lager vliegt en ten slotte uitgeput naar beneden stort. Ik hoor mijn vader en moeder over de dood praten en mijn vader zegt schertsend: 'De dood zit in ons allemaal.' Die zin laat me niet los. Ik probeer me voor te stellen hoe de dood in mij zit. Wat betekent het om dood te zijn? 's Nachts in bed houd ik zo lang mogelijk mijn adem in om de dood te kunnen voelen. Ik voel niets. Is dat de dood? Waarom kan ik hem niet aanraken? Uren lig ik wakker en snoer me in een ring van gedachten waarbinnen ik de dood probeer te grijpen. Mijn gepieker duurt enkele maanden, ik word steeds angstiger, er gaat geen nacht voorbij zonder dat ik met de dood bezig ben. Tot ik op het idee kom de boel om te draaien: als mijn dood zich verborgen houdt, misschien kan ik dan mijn leven voelen. Ik ga gevaarlijke dingen doen, laat me van mijn paard vallen, klim in de top van de dragline, staar met mijn vaders kijker in de felle zon... weer voel ik niets, maar mijn angst voor de dood verdwijnt. Daarna moet de verdoving zijn ingetreden.

De ervaring met de palmwijn had mij wakker geschud. De nachtmerries en wanen deden me beseffen dat mijn emoties nog niet helemaal gemummificeerd waren. Hoe lang hield ik mezelf al voor de gek! Was ik niet bang geweest, woedend, verdrietig? Ik had op dit eiland grenzen overtreden, de dood in zijn smoel gekeken... mijn god, het pus, de pijn die plotseling naar buiten brak. Ik had te lang alles toegedekt, weggeredeneerd, ik was ervoor weggelopen en dacht als zwerver lichter door het leven te gaan. En nu had een ordinaire kick mij de ogen geopend. Ik wist wat me te doen stond. Binnen de beperkingen van het eiland zou ik mezelf eindelijk de ruimte geven... me niet langer laten leiden door het noodlot, maar mijn leven zelf in handen nemen, hoe hulpbehoevend ook. Uit de verdoving stappen. Verandering... ook bij mij.

Ik haalde de kijker uit mijn kamer, stak een schetsboek onder mijn riem en ging op verkenning uit. Buiten de poort van het Centrum zag ik Sow naast zijn ezelskar staan. Doorlopen, dacht ik, negeren, maar ik voelde me blozen en ook Sow leek gegeneerd. Om me een houding te geven tikte ik op mijn rechterbovenarm. Kwam die grisgris van hem? Ja. Wat er in het leren etuitje zat kon hij niet zeggen: geheim van de maraboet. 'Ik hou er niet van als mannen ongevraagd mijn kamer binnenkomen,' snauwde ik. Ik draaide me om en liep door, nog beschaamder dan daarvoor.

Het Ecologisch Centrum lag tegenover een dichtbegroeide heuvel. Ik zag een uitgekapt pad en besloot de klim te wagen. Stervormige kapokbomen woelden de bodem om, de grond lag bezaaid met vette bladeren. Waterdamp steeg in zuilen omhoog. Grote witte vogels krasten in de takken, het was benauwd, de zeewind drong er niet door. Ik was verbaasd hoeveel er in de schaduw nog kon groeien, manshoge varens, bladeren waar je een dak van kon bouwen en witte orchideeën die de stammen wurgden. Bang voor slangen schuifelde ik ruw door de bladeren om ze zo te verjagen. Ik vervloekte de traagheid die in mijn lichaam was geslopen. Wat ik zag drong maar langzaam tot me door. De palmwijn zat nog steeds in mijn bloed.

Hoe hoger ik kwam, hoe groter de snippers zonlicht op mijn armen. Tot ik me plotseling op een open plek bevond. Het was een uitkijkpunt waar je twee stromen zag samenkomen, een koude en een lauwe, donker en licht. De twee mengden zich op de zandbanken voor de kust. Sow had gelijk, een gouden stroom.

Eindelijk kon ik het zeventiende-eeuwse fort van dichterbij

bekijken, of wat ervan over was: overwoekerde vervallen muren met daarachter een grijs betonnen huis. Het fort lag voorbij de heuvel, op een veel hoger punt van het eiland, een rode rots met een hoge rug in zee. Vanaf het dorp kon je het niet zien liggen, de begroeide heuvels blokkeerden het zicht erop.

Ik haalde mijn kijker tevoorschijn en liet mijn ogen langs de wallen wandelen. Vruchtbare ondergrond voor varens en grassen, geen mens te bespeuren. Het betonnen ding op de binnenplaats was gebouwd in de vorm van een strijkijzer, of misschien moest het een schip voorstellen, want het had ronde ramen en het terras leek een dek met een reling. Noachs ark, welke zot had hem daar laten stranden? Ik zette hem in één keer op papier, toen deed ik zulke dingen nog. Als ik onderweg iets lelijks tegenkwam, moest ik er een tekening van maken. Monumenten voor dictators, megalomane erebogen, potsierlijke kathedralen, krotten, verval... Het lelijke vervreemdt, het verhindert je van een plek te gaan houden, zo kan je zonder de pijn van een afscheid verder reizen. Ze verkopen alleen slecht, mijn horizonnen gaan beter.

Iemand keek over mijn schouder mee. Ik voelde het. Achter me, op een boomstronk onder gele honingbloemen, zaten drie mannen in kreukelige pakken. Ze schoven heen en weer, tuurden naar land, tuurden naar water en gaven elkaar een verrekijker door. Pafferige types, aandoenlijk onbetrouwbaar met hun doublé zonnebrillen en geringde worstvingers. De dikste depte zijn gezicht met een zakdoek. Hun taal klonk Arabisch. Toen ze me in de gaten kregen, borgen ze meteen hun kijker op. 'Welkom op de Parnassus,' zei de dikste in zangerig Frans. Hij nam me nauwkeurig op. 'U tekent?' vroeg hij knikkend naar mijn schetsboek. Ik liet hem mijn misbaksel zien en wilde doorlopen. 'Charmant, charmant,' zeiden de mannen tegen elkaar. Ze wilden meer zien en vroegen me bij hen te komen zitten. 'Dit zijn geen streken waar een vrouw alleen kan ronddwalen.' 'U ziet er patent uit, maar u bent de jongste niet meer – als u ons deze impertinentie permitteert – een onverlaat zou een makkelijke prooi in u kunnen vinden.' 'Misschien mogen wij u zonder bijbedoelingen onze diensten aanbieden?' En meer van dat gefleem.

Het bleken Libanezen te zijn, zakenlieden van het vasteland. Ze wilden hun zorgen met me delen. Had ik iets van de onrust gemerkt? De separatisten roerden zich weer. Het Zuiden los van het Noorden. Onmogelijk! Het leger had ingegrepen, maar ja, te laat, nu zaten die lui overal. Ook het eiland wemelde van de vluchtelingen, er zaten meedogenloze bandieten tussen. Ze hadden het vooral op buitenlanders voorzien, ze zochten sympathisanten voor hun hopeloze zaak. Ik kon makkelijk gegijzeld worden. Eén gedode Europeaan en het hele toerisme stortte in elkaar. Internationale aandacht, daar ging het die lui om. 'Opsluiten, zonder pardon,' zei de vette. 'Pas op voor de negers uit het Zuiden,' zei de kleinste. De vette knikte instemmend: 'Ze slachten elkaar af en betalen hun schulden niet.'

Het zakenleven had de mannen wantrouwend gemaakt, ze wilden weten waar ik vandaan kwam en hoe lang ik al op het eiland was. Vond ik niet dat alles bergafwaarts ging, vooral nu met die opstanden? Niemand die nog wilde werken. Nee, het was hier niet meer wat het geweest was. Libanezen hadden het moeilijk in Afrika. 'We zijn niet lui genoeg,' lachte de vette. Wat deden ze niet voor Afrika, de hele middenstand dreef op hen. Brachten zij niet meer voorspoed dan al die halfzachte ontwikkelingswerkers?

Ik klaag niet graag met blanken over Afrika, ze betrekken je bij een wereld waar ik niet bij wil horen. Om van ze af te zijn zei ik dat ik één dagje op het eiland was. Ik moest echt naar beneden, de sloep toeterde al aan de pier.

De heren stonden erop me naar beneden te brengen. De middelste, die tot dan toe gezwegen had, bood me zijn arm aan. De naden van zijn mouw stonden op barsten. 'Als u ooit bescherming nodig heeft,' zei hij terwijl hij zachtjes in mijn hand kneep, 'dan kunnen wij u over alle grenzen heen bedienen.' Hij haalde een kleverig kaartje uit zijn binnenzak: *Awaad et frères. Fusils anciens. Building Baobab. Rue du Président...* zag ik in de gauwigheid en ik liet het achteloos in mijn schetsboek glijden. 'Fusils anciens? Zie ik er zo oud uit?' Zo wist ik ze toch nog lachend van me af te schudden.

Even later hoorde ik ze weer achter me aan komen. 'Wacht, wacht, stop, zo mag u niet weggaan, u loopt gevaar.' Ik hield me doof, maar halverwege het pad, waar de zon als een pantervel op ons viel, hadden ze me ingehaald. De middelste Libanees haalde iets uit zijn broekzak. 'Dit biedt u bescherming,' zei hij. Het pakketje hijgde in zijn hand. 'Beter dan een grisgris,' en hij knikte naar mijn bovenarm, waar de talisman door mijn blouse scheen.

'Wat moet ik daarmee?'

'U moet zich kunnen verdedigen.'

'Een mini-browning, voor de moderne jonge vrouw. Echt parelmoer op de kolf, past in elke handtas,' zei de vette.

De kleine nam een paar patronen uit een doosje, vulde het magazijn in de greep, haalde de pal over en schoot zonder waarschuwing in de lucht. Het hele bos kwam in beweging, een wervelwind joeg door de takken. We keken verwachtingsvol naar boven... er kwam alleen een blad naar beneden. Een vet, dik blad met een rond gat erin. Geen rafel aan de rand.

'Mijn broer maakt een mooie prijs voor u,' probeerde de vette.

'Nee, dank u,' zei ik gepikeerd. We liepen gevieren zwijgend de heuvel af.

Het idee dat ik ineens een pistool kon kopen liet me niet los. Mijn eigen land is ervan vergeven, zelf wilde ik zo'n ding nooit in huis hebben, de verleiding was me te groot. Maar nu verlangde ik naar iets kleins dat me sterk zou maken, een loden pil waarmee ik elke indringer kon verjagen... en als het moest mijn eigen verval.

Voor we bij het Centrum kwamen, vroeg ik of ik de browning nog een keer mocht zien. Hij woog bijna niets, of was het een zij? Zo passend lag ze in mijn hand, de loop niet langer dan een vinger, de greep nauwelijks groter dan de muis van mijn hand en toch gevaarlijk, vol dood. Ze gleed gemakkelijk in mijn broekzak. Verkocht.

Sow, neef en ezel hielden de wacht bij de poort. Ik haastte me naar mijn kamer. Ook de dagen daarna bleef Sow me achtervolgen. Wilde ik naar het dorp, dan reed hij juist voor; zocht ik de schaduw op, dan meende ik hem in de struiken te zien. Waar ik ook ging, fluisterde hij: 'Kom, laten we uit rijden gaan, u heeft nauwelijks iets van het eiland gezien. Onze wielen zijn uw voeten.' Maar ik had zijn eiland al gezien, buiten hem om: de mangroven, de kreken, het dorp, de wolken stof die uit de haven opstegen, en de worstelaars op het strand. O, de worstelaars met hun glimmende lichamen. Hun schaamlappen behangen met talismans, hun handen wit van het zand voor houvast. De omstanders trommelen, de vrouwen zingen, de maraboet slacht een kip en besprenkelt de ring met bloed en zout en de worstelaars grijpen elkaar naar de strot. Ze happen in de lucht, ze bukken, bijten naar elkaars kloten. Wie zijn tegenstander vloert is de winnaar. Na een minuut is het voorbij. Ik zag het allemaal door mijn kijker op het stenen schip, hoog achter de wallen van het fort. Met mijn browning als stille compagnon.

Natuurlijk was er een manier het Ecologisch Centrum te verlaten, ongezien, via de keuken, in de kar van de kok, verborgen tussen de manden en dan stapvoets langs Sow en zijn neef. Terwijl de kok in de haven met de vissers en de boeren onderhandelde, slenterde ik 's morgens vroeg langs de kade. Zo heb ik havens graag, wanneer ze hun buik laten zien en stinken. Dooie geiten, huisraad en halfverrotte vissen klotsten in kringen stookolie. De zwervers die in de opengebroken containers een slaapplaats hadden gevonden, zaten onder aan de kadetrap hun behoefte te doen.

De enige hijskraan van de haven roestte werkeloos in de rails. De eilanders tillen liever zelf hun zware dingen. Aan de kop van de pier lag een groot schip, pokdalig van de menie. De touwen langs de loopplank waren wit, spierwit, en de sjouwers renden af en aan, hun gespierde nekken en ruggen bedekt met een lichtbruin stof van de zakken pindanootjes op hun hoofd. En zoals altijd, op afstand, de bazen die telkens de manchetten van hun schoongewassen overhemden optrekken, omdat ze zo vaak op hun horloge moeten kijken, bazen die turven en die zenuwachtig met het knopje van hun balpen spelen. Zij hielden de lijsten bij. Zwijgend, zoals men dat op het eiland graag heeft. De pirogues deinden meer beschut langs de kademuur. Daar was de troep nog groter. Yams lagen in hopen op de kade, palmolie lekte uit vaten. De kippenboeren stapelden hun manden in de stront van de vorige lading, ezels versperden pissend de weg en ook de vis begon al aardig te ruiken.

Jaren stof kleefde aan de huizen, koloniale glorie waarbinnen niets meer omging. Slechts één gebouw zat goed in de verf, een okerkleurig visserscafé met getraliede ramen en een hoge witte stoep. De dikke muren weerden de hitte en achter elk raam stond een ouderwetse houten stoel. Behalve een paar vissers die met een emmer palmwijn naar buiten liepen was er niemand.

Koffie, café Nes zou ik drinken, bitter en stoffig, zoals de traditie van armoe dat wil. Een van de vissers had mij herkend en riep iets onverstaanbaars naar de bediende. Ik werd wantrouwig opgenomen maar kreeg wat ik vroeg. Alleen al de geur van palmwijn, die onmiskenbaar achter in het lokaal hing, bracht mijn hoofdpijn terug.

Eindelijk bevrijd van Sow kon ik de haven rustig op papier zetten. Met een opgeheven potlood, een duim en één oog de lengte van de pier schatten – zo doet de dochter van een landmeter dat.

Mijn uitzicht werd verstoord toen ik plotseling een van de Libanezen op de pier meende te ontwaren, de vette, hij schommelde op een blauw motorschip af. Ik pakte mijn kijker en trok hem naar me toe. Hij stond met een bootsman te praten... en daar liepen ook de andere twee, naast een groep sjouwers die een paar zwaarbeladen handkarren voortduwden. De Libanezen verjoegen de kippenboeren, trapten de manden opzij en maakten zo ruimte naast het motorschip. De sjouwers zetten de lading in snel tempo op de grond.

De vette Libanees liep geërgerd op en neer, hij leek het niet met de bootsman eens te kunnen worden. Verhitte gebaren, de zakdoek moest eraan te pas komen. Ook zijn broers bemoeiden zich ermee, maar algauw verdwenen hun dikke lijven achter een wankele muur van kisten. De karren werden geparkeerd en wachtend op nadere orders gingen de sjouwers boven op de kisten liggen. Stoere kerels, dat zag je zelfs van een afstand, een talisman accentueerde hun biceps. Ik voelde even aan mijn rechterbovenarm.

Onderwijl schrobde de baas van het visserscafé driftig zijn stoep. Het sop sijpelde langs de handel van die morgen: op karton uitgespreide stoffen, kruiden, groenten en gedroogde vis. Ik maakte de ene schets na de andere. Mooi. Toch zag ik ze allemaal onder mijn handen mislukken. Tevredenheid leidt tot kitsch.

De cafébaas raakte in gesprek met een blanke man in een witlinnen pak. Duidelijk geen toerist, maar toch vreemd in deze streken, zo aan zijn Frans te horen, vermoedelijk een of andere stijve Brit. Die houding alleen al, alsof hij een stok had ingeslikt. Het air van een koloniaal. Verbaasd dat zo iemand nog losliep, veerde ik op om hem beter te zien. Alles klopte: snorretje, zonnevlekken, strohoed en zweep in de hand. Hij reed vast in een koets met een slaaf als palfrenier, maar er stond verderop alleen een zwart paard aan een paal.

'Merk je veel van de opstandelingen?' vroeg de man.

'Opstandelingen?'

'Ze zeggen dat ze de haven sluiten.'

'Sluiten?'

'De sloep komt niet vandaag.'

Hun moeizaam gesprek werd door een dof gekraak verstoord. Een van de sjouwers had in zijn halfslaap een stapel kisten omgestoten, boven op de kippenmanden. Overal bloed en smurrie. Die arme beesten krijsten het uit, veren stoven op. De boeren, toch al kwaad omdat ze van de Libanezen ruw moesten opschikken, sloegen er meteen op los. Pats, daar ging de eerste sjouwer in het water. De marktvrouwen joelden, een kleine trommelaar jutte de partijen op. Een kippenboer sloeg twee sjouwers met hun koppen tegen elkaar, zonder ophouden, als kalebassen op een dansfeest. De anderen wilden de kisten in het water gooien. Parlevinkers peddelden van alle kanten toe, klaar om de buit op te vissen. Idioten en mismaakten drongen naar de beste plaats. Het volk genoot en ik zat op het puntje van mijn troon.

Eindelijk kwamen de Libanezen weer in zicht, ze stonden op het dek van het motorschip en overzagen het slagveld. Eén kist was in stukken getrapt, de inhoud lag op de grond: zwarte stelen, halfverborgen onder de houtwol. Geweren, en beslist geen antieke. Een idioot had er al een te pakken. De vette stormde eropaf, zocht de geweren bij elkaar en gooide zijn jasje eroverheen. Het kippenbloed zoog zich in de stof, alsof een hart zich leeg klopte. De middelste keek beteuterd naar de schade, maar de kleine raakte buiten zinnen. Hij viste een geweer uit de derrie en richtte het op de omstanders. De idioten schaterden, de boeren doken achter hun manden. Wat hij riep kon ik niet verstaan, ik zag alleen maar een open mond, gorgelend van woede. De sjouwers keken beschaamd naar de grond. Verbazend zo lijdzaam als ze daar stonden, op een kluitje, plukkend aan de houtwol.

De vette had de geweren op het dek gelegd en probeerde zijn broer te kalmeren. Maar die duwde hem van zich af. Ziedend was de kleine, de idioten vielen stil van ontzag. Zijn mond vertrok, alsof er iets in hem brak, een ijzige kalmte kwam over hem. Wat begon als een absurd tafereel, volksvermaak, veranderde op slag. De kleine trok zijn broekriem los en liep met geheven hand op de sjouwers af. Hij sloeg lukraak om zich heen, op hoofden, ruggen, armen... Iedereen keek geschrokken toe. De sjouwers klampten zich aan elkaar vast, ze lieten gebogen de slagen over zich komen, wie in de buitenste kring stond, werd na een paar slagen naar binnen getrokken. Ze wisselden elkaar af in hun pijn.

Geen van de omstanders schoot te hulp. Het gewicht van de browning drukte tegen mijn dij, ik had kunnen dreigen, ingrijpen... maar ik verroerde me niet. Het werd even merkwaardig stil. Zelfs de marktvrouwen hielden hun mond. Toen de boeren de sjouwers te lijf gingen stond iedereen erbij te joelen, deze klappen maakten de menigte stom. Een dooie kip was erger. Of durfden ze niet tegen een blanke? Alleen het paard van de man in het witte pak hinnikte.

De waanzin hield de kleine Libanees in zijn greep. Hij dreef de kluwen sjouwers naar een container en schreeuwde zijn broers toe het luik verder te openen. De sjouwers lieten zich gedwee naar binnen duwen. Daarna vergrendelden de broers het luik, gristen de rondslingerende wapens bijeen en verdwenen samen met de bootsman in het motorschip. De toeschouwers trokken hun vastgeplakte hemden los en waaiden zich koelte toe. Ze wandelden in groepjes weg, opgewonden dat ze straks thuis iets te vertellen hadden. De groentevrouwen zochten een schonere plek, ver van het kippenbloed en het gestommel in de container. Mijn mond zat vol schilfers, van de spanning had ik mijn potlood afgekloven.

Het bleek niet moeilijk nieuwe sjouwers te vinden. Een pikhaak, een touw, en de bootsman kon ze zo uit de toegesnelde pirogues aan boord trekken. Ze tilden grijnzend de kisten in het ruim. De Libanezen lieten zich niet meer zien.

Ook bij het café had de oploop zijn sporen nagelaten; het werd tijd voor een nieuw sopje. De cafébaas kloste naar de keuken en gooide een paar schuimende emmers over de stoep. De man in het witte linnen pak vluchtte naar binnen. Een gentleman, het moet gezegd, althans op het eerste gezicht, met opgeheven hoofd klopte hij het sop van zijn omslagen. Hij straalde een en al zelfbeheersing uit – niet onaantrekkelijk en tegelijk belachelijk, zo gekleed, op die gore plek, tussen die mensen, en dan die clubdas, in dit klimaat! Een diplomaat, dacht ik eerst, of misschien een planter of een van die olielui die het land toen verkenden. Maar daar leek hij me toch te oud en te broos voor. Zo in het tegenlicht zag hij er broodmager uit, het linnen kreukelde in zijn knieholtes, daaraan kon je zien hoe dun zijn benen waren. Na een vormelijk knikje in mijn richting koos hij de houten stoel voor het andere raam en gooide zijn hoed en zweep in de vensterbank. Er zat een lelijke vlek op zijn revers.

Het werd stiller voor ons café. De zon klom naar haar zenit. De parlevinkers peddelden naar de schaduw. Langzaam kroop de loomte binnen.

'We moeten iets doen,' zei ik in het Frans.

'Waarom? Zij doen ook niets.'

'Daarom juist.'

'Geduld, mevrouw. Een luik dat sluit kan ook open.'

'Als het te laat is?'

'Het is hun zaak.'

'Hun zaak? Onze zaak. Het zijn Libanezen. Het is wit tegen zwart. We kunnen dit niet laten passeren.'

'U hoeft de problemen hier niet op te lossen, ze lossen zich vanzelf op.' De man keek me geen ogenblik aan, hij had de vlek op zijn revers ontdekt en begon aandachtig over de stof te krabben.

'U wilt die mensen gewoon laten stikken,' zei ik.

'Wat bent u toch begaan. Medeleven kan hier veel ellende veroorzaken.' Zijn haar was stroblond en de zon had zijn oren met bruine vlekken gemerkt. De schaduw van de tralies wierp grove strepen op zijn pak. Natuurlijk vroeg hij me hoe lang ik al op het eiland was. 'Nog geen week? En u wilt nu het land al redden? Over een maand zult u het beter begrijpen,' schamperde hij. 'Afrika is één groot laboratorium, vol boeiende processen en reacties. Laat het borrelen en stomen, maar grijp niet in. We hebben al te veel verpest.'

Wat een zak, moest ik hem nou echt gaan vertellen dat ik langer in deze wereld rondkeek? Mijn verbrande arm onder zijn neus duwen? Een echte gentleman zou je aankijken als hij tegen je sprak. Ik mocht me dus niet met de zaak bemoeien. Maar wat dan? Terug naar het Ecologisch Centrum met de kok, die ik al drie keer voorbij had zien komen, en de sjouwers in hun hok laten stikken? Die vent kon me wat. Ik liep naar achter en vroeg de cafébaas of hij het nummer van de *pompiers* wist. 'Pompiers? Nummer?' Hij wees verstoord naar een telefoon waarvan de draad los uit de muur bengelde. Zijn ogen zwommen van de drank. Hij was bezig een emmer palmwijn in plastic flessen over te gieten.

De arrogantie van de man in het witte pak maakte me onzeker. Zoals hij daar zat, op zijn dooie gemak voor dat raam, een silhouet uitgeknipt tegen de tralies, onverstoorbaar, onbuigzaam. Hij stak zijn hand omhoog en knipte met zijn vingers. Een droge knal weerkaatste door de ruimte. Meneer wou zijn drankje. Palmwijn. Ik vroeg een glas water om een smaak van vroeger weg te spoelen.

De man in het witte pak doopte zijn zakdoek in de wijn en probeerde de vlek uit zijn jasje te wrijven. Dat was verdomme het enige dat hem interesseerde. Ik gooide wat geld op tafel en liep zonder om te kijken het café uit.

De zon sloeg me bijna van de stoep. De kade lag er uitgestorven bij, uit de richting van de container klonk een vaag gestommel. Ik liep ernaartoe, morrelde aan de hendel en het geluid verstomde onmiddellijk Een zure zweetlucht steeg op uit de kieren, stank was hun enige levensteken. Geen adem, geen geschuifel, niets. Zelfs toen ik mijn schoen uittrok en met de zool op het luik sloeg, gaven ze geen krimp.

De container ging niet open. De Libanezen hadden de hendel met een roestige pin geblokkeerd en al sloeg ik die in één keer met een steen los, er zat geen beweging in. Of juist wel, maar het luik bleef dicht. Als ik trok gaf het iets mee, maar dan sloot het zich vanzelf weer, als een mossel: spieren hielden het tegen. Waarom zeiden ze niks? Ik probeerde duidelijk te maken dat ik ze wilde helpen... ik was op hun hand. Hoe ik ook aan het luik trok, ze lieten niet los. Ik sprak ze moed in, zei dat ik hulp zou halen. Geen woord. Achter de tralies van het caféraam wist ik de minzame glimlach van de man in het witte pak.

Ook in het havenkantoor werkte de telefoon niet, de mannen die op de bureaus lagen te slapen begrepen niet waar ik me druk om maakte. Dit was geen tijd voor actie, iedereen sliep. De hitte leunde op de haven, olievlekken glommen op het water, de kadavers roken zwaarder en alle rolluiken en zonneschermen waren neergelaten. Na veel gesloten deuren vond ik eindelijk een telefoon die het deed. Toen ik terugkwam was het blauwe motorschip met de Libanezen verdwenen. Op de plaats waar hun boot gelegen had dreven dode kippen.

De pompiers arriveerden uren later, zo leek het althans. Ze trokken aan het luik, trommelden met hun knuppels op de container en binnen een paar tellen strompelden de sjouwers naar buiten. Met hun handen voor hun ogen, verblind door de zon, lieten ze zich naar onze stoep drijven. Ze glommen van het zweet. De pompiers bejegenden ze ruw en hooghartig, ze snauwden ze toe in het Frans, niet in de volkstaal die ze onderling spraken. Ze deden verdomme net of die jongens de schuldigen waren.

Hoe ik ook protesteerde, het had geen enkel effect. Drie Libanese wapenhandelaren? Waar? Geen Libanees te zien, alleen een stelletje illegalen, verstoorders van wet en orde. Geen papieren, werk, geld, en waarom hielden ze zich zo verdacht schuil? Laat het aan ons over, mevrouw. Ze haalden een touw tevoorschijn en bonden sjouwer aan sjouwer. Het was een treurig gezicht, die sliert gebroken lijven, maar de pompiers glunderden. Die jongens verveelden zich ook maar dood, ze kwamen van het vasteland en waren tegen hun zin op het eiland gestationeerd. Deze middag maakte weken niksdoen goed. Eindelijk een belangrijke vangst: elf separatisten uit het Zuiden.

'Bravo,' zei de man in het witte pak toen ik moedeloos het café binnenliep om mijn spullen op te halen. 'U heeft wel een glas verdiend, ik nodig u uit op mijn terras.' Hij knipte met zijn vingers en de cafébaas kwam twee schuimende flessen palmwijn aandragen. 'De taxi staat voor,' zei hij. Buiten keerde een ezelskar. Geen Sow of neef, gelukkig. 'Diller is de naam,' zei hij met een formeel knikje. Ik wilde helemaal niet mee en vroeg hoe dat dan met zijn paard moest. 'Dat loopt achter ons aan. Kom,' zei hij van het Frans op het Engels overgaand, 'zo vaak gebeurt het niet dat ik met iemand in mijn eigen taal kan praten. Mag ik u voorgaan.'

Nog geen halfuur later stond ik op zijn terras en zag de mangroven, de witte vogels in de oliepalmen, de twee stromen die zich samenvlechten voor de kust – de kouwe en de lauwe –, de worstelaars op het strand, maar nergens het blauwe motorschip van de Libanezen.

Duizelig van het eenogig turen draaide ik mijn kijker naar de betonnen ark van mijn gastheer. Hoe kon iemand zo'n huis laten bouwen? Benauwde ronde ramen en een balkon en terras met koperen reling, alleen de loopplank voor de deur ontbrak. De kijker haalde alles akelig dichtbij, hier moest een kinderachtige man wonen. Onder het bovendek hingen jachttrofeeën: krokodillenkaken, olifantstanden, antilopenschedels, pijlen en schilden. 'Van mijn vader,' zei hij verontschuldigend. 'Ik sleep ze overal met me mee. Die olifantstanden komen uit India, de krokodil uit Rhodesië, de antilope uit Zuid-Afrika. Mijn vader was een groot jager, maar hij heeft zijn gezin nog het meest opgejaagd, van onafhankelijkheid naar onafhankelijkheid. Als jongen heb ik bij elkaar in zes verschillende koloniën gewoond.'

'En uiteindelijk bent u gestrand op een Franstalig eiland?' zei ik.

'Ik kom uit een familie van reders en scheepsbouwers. Kleine boten zijn onze specialiteit We hebben de veerboot hier geleverd en ik ben blijven hangen. In Franstalig Afrika word ik niet zo herinnerd aan het verleden.'

'Maakt dat zoveel verschil?'

'De stommiteiten van de Fransen raken me minder.'

'Bent u zo gevoelig?'

'Ik kan slecht tegen mijn verlies.' Hij knipte met zijn vingers en vroeg zijn bediende de palmwijn te serveren: 'Op ijs.'

'Ook in het spel?' vroeg ik zonder een spier te vertrekken. Om een politieke discussie te vermijden wees ik naar de reuzenschaakstukken op de geblokte tegels in de hoek van het terras. We liepen erheen, een glas palmwijn in de hand. Ik was gezwicht, ja... Na zo'n kater moest je het juist nog een keer drinken, zei hij, om te tonen wie er de baas was. Ik tilde een witgeverfd paard op en liet het bijna uit mijn handen vallen.

'Meer een spel voor gewichtheffers,' zei ik verontschuldigend.

'Ebbenhout, Nigeria.' Hij hielp me vriendelijk de zet te volbrengen – één tegel recht naar voren en één schuin. De enige schaakzet die ik ken. 'Waarom neemt u wit?' vroeg Diller, terwijl onze schouders en armen elkaar raakten.

'Mag wit niet altijd eerst?'

'Dat valt me van u tegen. Die koloniale regel geldt allang niet meer. Vóór de verdeling van Afrika genoten zwart en wit gelijke rechten.' Hij schoof een pion naar voren, ik weer mijn paard, alleen, want een blok hout kon ik ook zonder zijn charmes verschuiven. 'Maar sinds de wind van onafhankelijkheid over dit continent trok, luidt het devies beneden de Sahara: zwart begint en wint.' Zonder zich te bukken verschoof hij zijn dame en nam mijn paard uit het veld. 'Breng ik u in de war?' vroeg Diller. 'U dacht toch niet dat ik iets tegen zwart had? Ik ben een kind van Afrika, mijn buitenkant is bedrieglijk. Ik heb alles aan de Afrikanen te danken, zonder hen voer er geen schip van mij de haven uit, zonder hen...'

'Dronk de baas geen palmwijn,' onderbrak ik hem toen de

bediende met veel gerammel de volgende karaf op ijs kwam brengen.

'Een goed voorbeeld.' Hij keek me geringschattend aan. Zijn hele houding straalde winnen uit. Ik had spijt van mijn opmerking, hij gaf me het gevoel dat ik meer last van vooroordelen had dan hij. 'Palmwijn is een verboden drank,' zei Diller. 'Volgens de westerlingen die hier landbouw komen onderwijzen, put het tappen de bomen uit. Dankzij hun bemoeienis is de palmwijn de illegaliteit in gedreven. Nu trekken de tappers stiekem de bossen in om hun emmertjes in de bomen te hangen, de schade is alleen maar toegenomen. Er ontstaan dode plekken die niet meer worden aangeplant, daar krijgt de ontbossing vaste grond en wint de woestijn. Dat soort hulp maakt de boel alleen maar kapot.' Diller keek alsof hij me schaakmat had gezet, maar voor ik me gewonnen gaf, ging ik boven op de kroon van de koningin zitten. 'Tappen doen ze toch,' vervolgde hij, 'de dorst blijft. Maar vroeger deden ze het gewoon in de veldjes om het dorp; als de bomen stierven plantten ze nieuwe. Eeuwen ging dat goed. We hadden ons er niet mee moeten bemoeien, zij kennen de grond hier beter dan wij. De zwarten kunnen die zelf uitstekend beheren, maar omdat de blanken er geleerde theorieën op na houden en over moderne technologie beschikken en bulken van het geld, denken zij dat wij het beter weten.'

'Dat u hier nog durft te wonen.'

'Niksen kan geen kwaad, zolang ik mijn plaats maar ken. Niet ingrijpen. We willen te veel kunstmatig in leven houden. Bomen, wild, mensen. Europa heeft al zijn grote wouden omgekapt en nou moeten de negers op hun boompjes passen. Omdat de wereld anders haar longen kwijtraakt, moeten wij hier achterlijk blijven. Laat ze stikken, kappen die handel. Westerlingen hebben hier grenzen door volken getrokken, de trek van het wild verstoord, landbouwmethoden geïntroduceerd waardoor gebieden die zich vroeger perfect konden voeden nu van buitenlandse hulp afhankelijk zijn. Hier beneden, in het Zuiden, verbouwen ze de beste rijst, maar die wordt uitgevoerd vanwege de deviezen. De exportprijs zakt elk jaar en om de honger te stillen ontvangt de regering tonnen meel als gift. Je ziet elke dag wel een buitenlandse ambassadeur op de televisie een cheque of een zak voer overhandigen. "Coöperatie" heet dat. De energie die dat kost, de ondermijning van het zelfvertrouwen die dat teweegbrengt. Laat ze voor hun eigen voedsel zorgen. Als er dan mensen moeten sterven, betekent dat minder monden, zo keert het evenwicht tussen oogst en eters weer terug. Wij willen iedereen in leven houden, zonder dat we de overlevenden een toekomst kunnen bieden. Dat noem ik misdadig.'

'Wat bent u begaan,' zei ik zo beleefd mogelijk. Diller was minder beheerst dan ik dacht, ik betrapte me erop dat ik zijn ingehouden woede bewonderde.

'Ik zal u een sterk verhaal vertellen. Toen ik zeventien was woonden we niet ver van de Caprivi. Oorlog, gedoe, vijf landen ruziënd om een strook gras. Mijn vader was daar betrokken bij een irrigatieproject; ingenieurs die het gebied niet kenden, gingen rivieren kanaliseren, niet wetend dat er stromen zijn die soms jarenlang ondergronds gaan. De droogte is er uiteindelijk alleen maar groter geworden, maar daar gaat het nu niet om. Het was regentijd. We werkten met rubberboten, dinghy's, want we voeren over ondergelopen rietland en moesten de boten soms hele stukken dragen. Maar die dag zaten we op de rivier, twee kilometer breed, bedrieglijk vlak, hier en daar staken gemene rotspunten uit en op de oevers lagen krokodillen in de zon te bakken. We voeren met grote snelheid stroomafwaarts, richting cataract, drie boten aan elkaar gebonden, met één buitenboordmotor. Vier blanke ingenieurs aan kop, de arbeiders in de benzinewalm, Tswana's, jongens die een jakhals met een vuistslag konden doden, maar geen zwemmers, meer savannevolk. Ik als jonkie tussen de zwarten. Op een gegeven moment scheurde de voorste boot aan een rots open. De buitenboordmotor zonk meteen en de ingenieurs werden snel bij ons in de boten gehesen. Het ging net, zestien man in twee dinghy's. We hadden maar een paar centimeter boord en konden nauwelijks peddelen, want bij elke beweging klotste het water naar binnen. Het ongelooflijke gebeurde, ook de tweede boot sloeg lek. Acht man te water. De krokodillen hieven hun koppen op en schoven lui de oevers af. Wij als een gek aan het hijsen, twee man erbij, vier, vijf... onze boot zakte steeds dieper, en we zaten midden op de rivier. Ik trok iedereen die voor mijn handen kwam naar binnen. De Tswana's protesteerden, ze dreigden mij uit de boot te gooien. Eén man erbij en we zouden allemaal verzuipen. Er zat niets anders op dan de onfortuinlijken die nog rondspartelden achter te laten. Maar wij blanken durfden dat niet. Een van de ingenieurs begon op de Tswana's in te praten, haalde God en de Voorzienigheid erbij. En die krokodillen maar rondjes zwemmen. Ondertussen hingen er drie mannen aan onze boot. Ze trokken ons naar beneden, achter dreigden er al een paar van boord te glijden. Toen kwamen de Tswana's in actie. Ze gooiden de drenkelingen er gewoon af, ze trapten op hun handen, beten in hun vingers, wit of zwart. De een na de ander verdween voor onze ogen in het water. Smakelijk eten.'

Diller graaide met zijn hand in de emmer en begon fanatiek op een ijsblokje te zuigen. 'Met mijn gevoel voor medeleven zou ik bijna iedereen mee het graf in hebben gesleurd.' Hij schonk me bij en toostte: 'Zonder zwarten zou ik nu inderdaad geen palmwijn drinken.'

Wat mankeerde de mensen op dit eiland, waarom haalde

iedereen zulke ellendige herinneringen op? Koos ik met moeite voor het leven, kwam de een na de ander met de dood aanzetten. Ik haalde diep adem en probeerde het nog eens met Diller oneens te zijn: 'Om te leven moet je anderen tekortdoen, is dat de oplossing?'

'Waarom wilt u toch zo graag de wereld verbeteren?' zei hij geërgerd.

'Misschien wordt het tijd de rijkdom eerlijk te verdelen?'

'Als er niet voor iedereen genoeg is, wordt een eerlijke verdeling collectieve zelfmoord. De boot is vol. Alleen de sterksten zullen het halen.' Hij trapte een paar denkbeeldige handen van zich af.

'U, op uw ark.'

'Nee, mevrouw, de dood krabt al aan mijn vel.' Hij tikte tegen zijn oor en liet me de reuzensproeten op zijn handen zien. 'Huidkanker. Ziet u wel, ons soort hoort hier niet. Familiekwaal. Afrika heeft zich in ons vastgebeten.'

'U moet daar wat aan laten doen.'

'Waarom zou ik? De Bosjesmannen laten de ouden die niet meer verder kunnen met een meloen en een stuk biltong alleen in het zand achter, de Iks gooien grootmoeder in het ravijn, dat soort groepsegoïsme is fraaier dan voor veel geld nutteloze levens rekken. Ik zit hier op mijn berg en wacht. Weer één minder in de boot.'

'U kunt dus wel tegen uw verlies.'

'Verlies? Dood is een winst. Kanker en aids zijn een zegen voor onze planeet. Ik zei u toch, de problemen lossen zich vanzelf op.'

We dronken ons glas leeg. Zou het mij ook zo vergaan, wachten en gelaten sterven? Zonder verzet? Ik bewonderde hem, ik haatte hem. Ik wou weg en ik bleef.

'U bent aan zet,' zei hij met dezelfde buiging waarmee hij me een paar uur eerder in het café had begroet. Ik koos voor een pion, één tegel maar, toch hielp hij me tillen. Schouder aan schouder, arm tegen arm.

Bij de derde zet was ik verslagen. Een uur later lag ik in zijn bed. Mijn eigen beslissing, al zag Diller het vast als een capitulatie en dat was het in zekere zin ook, niet voor de man, maar voor het leven. Ook in bed werd de verdoving opgeheven, palmwijn kent geen grenzen... we bereikten grote hoogten. Aan daadkracht ontbrak het hem niet. Hij kon wel duizend dagen vrijen, of alle dagen die hij nog te leven had. Maar na elke verrukking groeide bij mij de spijt. Te laat, dacht ik, te laat. De derde dag knapte er iets.

'Kan dat ding af?' vroeg Diller. Hij knikte naar de talisman om mijn rechterbovenarm en begon aan de draden te trekken.

'Nee, hij maakt me sterker.'

'Het is een teken van zwakte.'

Weer dat vechten met woorden, dat eeuwige winnen, ik kon er niet tegen. Als dit leven moest verbeelden, die kanker in mijn armen, dat cynisme.

Ondanks mijn goede voornemens wilde ik weer vluchten, dit benauwende eiland af, de leegte in, alles kwam me veel te dichtbij. Na al die drank en verhalen over water smachtte ik naar droogte, naar de woestijn en ik dacht aan Sow, aan zijn zoete woestijnkruiden. 'Morgen neem ik de sloep,' zei ik.

Maar ik kon het eiland niet af. Geen schip of pirogue mocht de haven uit. De sloep werd aan de overkant vastgehouden. De hoofdstad isoleerde ons, er werd geen brood meer geleverd, geen brandstof, de haven lag er werkeloos bij, de zakken pindanoten schimmelden op de kade. Mijn minnaar van drie dagen wist het allemaal allang: zijn boten lagen aan de ketting, zijn kapitaal was in het geding. Maar hij greep niet in. De wet van Diller.

De regering wilde het eiland straffen omdat het de ge-

vluchte separatisten te weinig dwars had gezeten. Het was afgelopen met de gekraakte ruïnes, met subversieve samen-
scholingen en separatistische propaganda. Al puilde de gevangenis uit van de vluchtelingen, het eiland gehoorzaamde
niet genoeg. Boeten moest het en bloeden...

De bediende kwam vertellen dat er beneden in het dorp rel-
len waren uitgebroken. Hij had schoten gehoord, de separatisten hadden de barak van de pompiers met stenen beko-
geld. Er werden mensen opgepakt. Er was geen toerist meer
op het eiland te bekennen.

'Als je echt weg wilt,' zei Diller, 'valt er altijd iets te regelen.'

4

Het lukte me ongezien het Ecologisch Centrum binnen te komen. Neef en ezel stonden te slapen voor de poort, Sow viel nergens te bekennen. Ik sloop opgelucht naar mijn kamer. William hoorde ik tegen de bouwvakkers tekeergaan, ze hadden nog meer rommel gemaakt en waren niks opgeschoten tijdens mijn afwezigheid. Als ik ergens weg moest was het uit die veredelde jeugdherberg. Williams bemoeizucht hing me de keel uit en Sow werkte vanaf de eerste dag al op mijn zenuwen. Ik had zijn hinderlijke schaduw nog gemist ook. Sinds ik hem was ontvlucht, bleef hij voelbaar aanwezig: hij deinde mee in mijn broekzak en kneep in mijn rechterbovenarm – mijn browning om hem te verjagen, zijn talisman om mij te beschermen. Nauwelijks een week op het eiland en al zoveel tentakels. Er liep een rilling over mijn rug toen ik Sow buiten mijn achternaam hoorde roepen. Ik opende mijn raam en zag een paar verwijtende ogen naar omhoog kijken... wist hij van mij en Diller, kon hij zien hoe ik me de afgelopen dagen had gedragen? Ik wilde me met een smoes van hem afmaken.

'U moet naar de gevangenis,' zei hij ernstig.

'Wat heb ik misdaan?'

'De sjouwers rekenen op u.'

'Hoe weet je dat?'

'Ik heb daar veel vrienden.'

'In de haven?'

'Nee, in de gevangenis. U moet Amerika vertellen wat er in dit land gebeurt.'

De ezel balkte in de verte, als om zijn woorden kracht bij te zetten. 'Ik zie u na het derde gebed,' zei hij en in het omdraaien voegde hij me toe: 'Trek iets moois aan, warme kleuren. De ogen van een gevangene hebben honger, het is grijs achter de tralies.'

Ik ritste mijn rugzak open en gooide woedend mijn onderweg verzamelde lappen op bed. Ik liet ze een voor een door mijn handen gaan, *basin* uit Kaédi, *palman* uit Tombouctou, stempellinnen uit Ouagadougou... mijn favoriete woestijnsteden. Wat moest ik daarmee in de gevangenis, zou ik worden toegelaten, wat kon ik voor de sjouwers doen? Een modeshow houden? Als ik ging was het om Sow te behagen, ik voelde me schuldig en hij wist het. Er was al te veel gebeurd tussen ons.

Ik hield de lappen voor de spiegel en drapeerde ze om mijn schouders. Het stijve bazijn kon de hoek van mijn heupen niet verhullen, maar als ik het plooide, zag je niet dat ik vanbinnen opgevreten werd. Diller had gelijk: niet ingrijpen. Ik zou niet gaan.

Buiten begon het te waaien, dorre bladeren tolden tegen mijn balkondeur, de trompetboom verloor zijn laatste bloemen. De wind wakkerde aan tot een storm, een die de lucht vol wolken joeg. De winter kondigde zich aan, of wat daarvoor doorgaat hier, regen en kille nachten. Je voelde de koelte over het eiland trekken.

De weersverandering maakte me onrustig. Wat kon ik doen? Mijn ambassade bellen en zeggen dat er separatisten werden opgepakt, ze zagen me aankomen. Al sjokte Sow uren met neef en ezel achter me aan, ik was vrij om te gaan en te staan waar ik wilde. Andermans onrecht ging mij niet aan. Had ik mijn les niet geleerd? Mijn hoofd was te zwaar om besluiten te nemen, te veel palmwijn, te veel verwarring. Kon de storm mijn hoofd maar helder waaien. Ik liep zonder me om te kleden weer naar buiten, de wind in. Gewoon blind door de poort, naar de schuimrand van de zee, waar geen wiel meer houvast vond.

Ik hoorde geen ezel achter me. Onderweg was niets van de opstand te merken, het leven sukkelde even rustig voort als anders. Maar op het strand werd ik opgewacht door een leger gidsen. Met het vertrek van de toeristen was ik hun enige slachtoffer. De een na de ander wilde met me oplopen. 'Waar komt u vandaan?' 'Hoe lang blijft u?' Ze toonden me een pasje met foto: *guide officiel*. Een nieuwe maatregel uit de hoofdstad, om de vluchtelingen uit het vak te weren. Zonder op te kijken somde ik mijn naam, verblijfplaats en land van herkomst op. Maar daarmee was ik niet van ze af, ze wilden vrienden met me worden. Dat was gewoonte op het eiland. 'Wij zijn gastvrije mensen, wij willen u met onze cultuur laten kennismaken.' Ze nodigden me uit bij een van de strandhutten te gaan eten. Ze kenden stuk voor stuk de eigenaar en iedere gids probeerde me met de lekkerste gerechten te paaien. Ik zei dat ik alleen wilde zijn. 'Alleen? Een dame alleen heeft gezelschap nodig.' Ik werd kwaad, stuurde ze weg, maar ze keken me zo gekwetst aan en bleven zo zeuren dat ik uiteindelijk toch met een van hen meeging.

De strandhutten waren allemaal uit wrakhout opgetrokken, de een nog schever dan de ander, en bij elke tent stond een kok op een pan te slaan, maar niet een kon ons iets serveren, geen Fanta, geen bier, geen vis, want ze hadden zelfs geen olie om te bakken. Als ik wat wilde, moest ik eerst een voorschot betalen, dan kon een van de gidsen ergens drank en olie en eten kopen. Lang zou het niet duren – '*petit temps*'. Ik kende dat: hoe kleiner de tijd, hoe langer de uren. Alleen palmwijn was voorradig. Lauw, vers uit de boom. Dus liet ik me weer verleiden.

De stoelen zaten onder het teer en de spijkers staken door het hout, de tafels wiebelden en kleefden van de etensresten, na een paar bekers kon ik mijn ergernis over de Afrikaanse slonzigheid niet meer inhouden: 'Maak een dak van palmbladeren, bouw een schutting tegen de wind, toeristen houden niet van wind. Maak het hout schoon, zet bloemen op tafel.' Andere gidsen verzekerden me dat het verderop beslist schoner was. Ik inspecteerde hut na hut. De palmwijn wandelde achter me aan.

De storm bedaarde en de gidsen begonnen uit verveling te worstelen, ze wilden indruk op me maken, grijnsden naar me en hapten onderwijl speels naar elkaars benen. Hun mooie lichamen deden me aan de jonge vuurdanser denken. Zou hij zijn spel nog ergens spelen? Liep hij ook gevaar te worden opgepakt? Ik wilde hem zien, de schroeilucht van zijn kleine haartjes ruiken. Als Sow me dan toch wilde rijden, waarom dan niet het hele eiland rond om die jongen te zoeken. Hoe meer ik aan hem dacht, hoe kwetsbaarder hij werd, ik moest hem vinden. Ik waste mijn gezicht in zee, spatte me nuchter en liep terug.

Dit keer lieten de gidsen me met rust, ze konden niets meer aan me verdienen. Bij de eerste hut hadden ze twee palmen kaalgekapt en alle bougainvillea's geplukt. Een haag van palmbladeren omzoomde het wrakhout en op elke tafel stonden bloemen. 'Vindt u het mooi?' vroegen ze.

'Snappen jullie dan niets?' snauwde ik, 'nu hebben jullie de schaduw weggehaald. En die bougainvillea's, waar halen jullie morgen verse vandaan?'

'Pardon, pardon,' riepen ze in koor, 'pardon.' Ze trokken de palmbladeren uit de grond en wuifden me koelte toe.

'Nee, nee, het is mijn fout,' zei ik, 'ik had me er niet mee moeten bemoeien.' Maar zij accepteerden mijn excuses niet. Ze jammerden: o, o, wat waren ze dom, en o, wat konden ze toch veel van mij leren. Morgen zouden ze een bladerdak bouwen en nieuwe palmen planten. Het was allemaal hun eigen schuld. 'Onzin,' zei ik, 'luister toch niet naar elke toubab. Jullie hebben er veel meer verstand van.'

Nee. Ja. Nee. We boden tegen elkaar op, we streden om de eer wie de meeste fouten maakte. Als ik struikelde omdat ik niet goed op mijn benen kon staan, lag het aan de rommel op het strand. 'Slecht strand, slechte regering.' Sprak ik met dubbele tong, dan excuseerden zij zich voor hun slechte Frans. Ik liet een boertje en zij zeiden: 'Pardon.' Boos liep ik terug naar het Ecologisch Centrum.

Sow wachtte bij de poort. 'Donder op met je gevangenis,' zei ik en ik barstte in tranen uit. Hij probeerde me te kalmeren en sloeg zijn arm om mij heen. Zijn handen maakten mij rustig, de warmte van de woestijn broeide in zijn palmen. Hij bracht me naar mijn kamer en ik liet hem binnen. Mijn broekriem gooide ik achter in de kast. 'Ik zal me netjes gedragen,' zei ik. Even later begon William als een gek op de deur te tikken, alsof hij ons rook We deden niet open. Het zou mijn laatste nacht in het Centrum zijn. De volgende dag vonden we dit huis en Sow werd er een geregelde gast, nacht na nacht na nacht.. Ik hoor weer zijn muilen op de trap, 's morgens vroeg, net na het eerste gebed, als hij zijn plichten voor Allah had gedaan en de keuken binnensloop, honing uit de kast haalde, er zijn lippen mee insmeerde en me verraste met een zoen onder de douche. Nat, stomend en zoet. Ik had ze ontweken en ik had ze gezocht, die zwarte ogen, smalle lippen, zijn neus als een toren van Mali, uitziende over de vlakten. Hij was niet zwart, maar koperbruin. Na het vrijen glom zijn huid als een oude munt.

'Mijn vader was een nomade,' zei hij. 'Ons volk erkent geen grenzen, we zijn gewend door woestijnen en savannen te trekken, van oase naar weiplek. De oorlog heeft me van het vee vervreemd, ik kon het hoefgetrappel niet meer verdragen. 's Nachts marcheerden de geiten als soldaten door het veld.'

Sow had jaren als gids en kruidenkoopman in het Zuiden gewerkt, maar sinds daar door de aanslagen op olieleidingen de kusten waren vervuild en hij geen cent meer aan toeristen kon verdienen, was ook hij naar het eiland getrokken. Eén keer per jaar bezocht hij zijn clan om zijn voorraad kruiden aan te vullen, er zwierf altijd wel een Sow langs de meanders van de rivier die iets bijzonders voor hem had bewaard. Bessen van de mastiekboom, acaciagom, vlindereieren, jakhalsgal. Hij leerde me de namen van de kruiden uit zijn kalebas, hij leerde me woorden in zijn taal. *Sagata*... lieveling, dat weet ik nog. Hij leerde me aan bittere smaken wennen: voor het zoenen de kolanoten, waarvan de stroeve pulp, vermengd met speeksel, de adem opfrist als een waterval.

O, hij was schoon, mijn sagata, hij was schoon omdat hij zoveel bidden moest. Vijf keer per dag je tanden poetsen omdat woorden uit een schoon gebit vijfenzeventig keer meer kracht hebben dan die uit een vuil. Geloof het of niet. Ik mocht niet meebidden als hij zich uitstrekte, bukte en met zijn voorhoofd de grond raakte – als een boom, als een dier, als een plant, drie houdingen waarin de mens zich superieur aan alle schepselen toont –, ik mocht er alleen naar kijken. Mijn stem is te sensueel voor een gesprek met God, vrouwenstemmen kunnen bekoren en verleiden. Daarom is zelfs een gebed fluisteren voor ons taboe. Dat waren de regels van zijn volk. Het was hem wel toegestaan mij te beminnen, als muzelman mocht hij zelfs een heidin trouwen, zolang zijn nageslacht zich maar tot Allah richtte. Een moslimvrouw heeft dat recht niet.

In het geloof was Sow nu eenmaal superieur, en wat God

aanging mocht hij van me winnen. Hij had al zoveel verloren, twee vrouwen aan de dood en drie zonen aan Parijs – Sahara-sur-Seine – van wie hij al jaren niets meer hoorde. Hij zocht iemand die zijn oude dag verzekerde. Mij: l'Américaine. Want hij noemde me natuurlijk nooit bij mijn voornaam, geen geest mocht zijn schat van hem stelen.

Toch was hij niet berekenend, hij vroeg nooit om geld en als ik iets moest doen was het voor anderen. Hij wilde alleen mijn leven rekken, kruidendranken moest ik drinken, dan zou ik nog veel tekeningen maken. Wat kon ik naar hem verlangen als ik op het terras zat te krassen en hij in de keuken zijn brouwsels bereidde, de tafel bedolven onder woestijndadels, kleine citroenen met paarse kerven in de schil, witte truffels, vlindereieren, acaciagom, wilde amandel, kamfer en oliën, zo sterk en zoet dat ze bij het opsnuiven in je neus bleven kleven.

Op een dag nam hij een uit de lucht gevallen wilde eend voor me mee, net zo'n uitgeputte migrant als ik, hij geloofde hevig dat het bloed me kracht zou geven, en het zou onze liefde sterker maken. Uren stond hij te roeren. Daarna smeerde hij ook nog jakhalsgal op zijn eikel – voor dik zaad, alsof ik daar wat van zou merken – maar toen zijn bruine balletjes boven mijn buik dansten, wilde hij van alles en gebeurde er niets. Op dat moment hoorden we buiten een gebalk van jewelste. We keken over de muur van mijn dakterras en zagen hoe de ezel van zijn neef een vrouwtje probeerde te bespringen, met kar en al. Hij was groot geschapen en nam haar zonder pardon. 'Om man te zijn moet je een ezel zijn,' zei ik. Daar kon hij toen niet om lachen.

Sow moet geweten hebben dat ik Diller bleef zien. Dat kon zijn liefdesdrank niet beletten. Soms moest ik vluchten voor zijn zachtheid, de honingzoenen en het gekwezel op zijn knieën. Dan benauwde zijn liefde me en gaven zijn kruiden en zorgen me het gevoel oud en ziek te zijn. Diller hield me jong. Diller was scherp, hard, bij hem moest ik op mijn qui-vive zijn.

De vrouwen onder de baobab dachten dat hij een dokter was, geen idee hoe ze erbij kwamen; door zijn onafscheidelij-ke roomwitte linnen pak? Of was het zijn zelfverzekerde op-treden? De blik van een man die gewend is dat mensen naar hem luisteren. In het dorp draafden ze voor hem. Als hij in de haven zijn palmwijn ging halen, liet hij me soms een halve tonijn bezorgen. En dat in de schaarse tijd. De koloniaal, ik schaamde me dood. Maar voor de vissers was hij een man met gezag, een rijke Afrikaan gedraagt zich net zo. Zelfs de separatisten mochten hem graag, terwijl ze in elke blanke za-kenman een compagnon van de regering zagen. Hij nam ze serieus, huichelde niet, zei waar het op stond. Al klonk het als een bevel, dat hadden ze liever dan zijige derde-wereldpraat-jes. Ook zij voelden zich door hem uitgedaagd.

5

De rust was tijdelijk teruggekeerd op het eiland. Schijnbare rust: de opstandelingen hielden zich koest. De sloep kwam weer, één keer per dag, maar verder bleef de haven geblokkeerd. Alle pirogues lagen aan de ketting. De vissers mochten niet uitvaren, berucht als ze waren om hun smokkeltalenten; de regering was bang dat zich nog meer Zuiderlingen op het eiland zouden vestigen. Er was aan alles een tekort. Het leek een eeuwigheid, het duurde een paar weken.

Sow ging overdag het bos in om kruiden te zoeken, soorten die je alleen na de eerste regens kon oogsten. Dat zei hij tenminste, maar ik was ervan overtuigd dat hij iets in zijn schild voerde. Hij vroeg me niet meer of ik mee naar de gevangenis ging, hij geneerde zich voor mijn besluiteloosheid. Ik nam me voor mijn ambassade te bellen, hun te vragen een Afrikacorrespondent op de zaak te zetten, ik nam me voor Sow mijn halfjaarlijkse cheque uit Amerika te geven, dat schamele pensioentje van mijn man: voor de goede zaak. Ik nam me van alles voor onder de douche, maar ik deed niets.

Als ik bij Diller was geweest, moest ik de palmwijn uit mijn poriën spoelen. Telkens zei ik hardop tegen mezelf: Dit was de laatste keer. Een paar dagen later liep ik het pad naar het fort weer op. Langs bomen en struiken die tegen mijn armen zwiepten. Elk blad leek in mijn hand te bijten, het hoge gras sneed in de pijpen van mijn broek, de zaden hadden stekels, elke tak verborg een doorn. Het zand had de naden van mijn blouses losgetornd, de knopen gespleten. Mijn kleren verraadden mijn verval. Hoe durfde ik hem zo onder ogen te komen? Ik ging achteruit. Het zweet lekte in mijn ogen, bij iedere stap bonkte de harde bodem in mijn rug. In de schaduw van de wallen van het fort rustte ik uit, ik mocht niet hijgend bij Diller aankomen. Mijn ogen zochten rust in de gouden stroom die het eiland omspoelt. Een lint, een strop. Dan stond ik op, haalde diep adem, liep langs de steile wand, liet de wind mijn nek en voorhoofd drogen. Ik had naar beneden kunnen springen, de zee in, daar waar je de rotsen onder water ziet. Ik spuugde naar beneden, het taaie spuug van een zieke, maar het was te droog, te diep, geen spat haalde de zee. En die zieke dacht hem de baas te kunnen zijn, hem zelfs uit te putten in het liefdesspel. Maar ik was zijn slaaf, een willoos dier. God, wat hing ik die dagen aan het leven en wat haatte ik dat pad naar zijn ark.

'Je blijft maar palmwijn drinken,' zei Sow als ik roodaangelopen van de drank terugkwam van het fort. 'Ik had je er nooit mee moeten laten kennismaken.'

'Het houdt mijn doden levend,' zei ik. Maar ik loog over waar ik het gedronken had. Terwijl hij er niet eens naar vroeg. Ik vertelde dat ik langs de drinkende vissers was gekomen en mijn vuurdanser had gezocht 'Dat heeft geen zin meer,' zei hij op een dag, 'die is opgepakt en afgevoerd.' Ik moest huilen. Hoe was het mogelijk: als ik ingreep ging het mis, als ik niet ingreep ging het ook mis. Wat zouden ze met hem doen?

Mijn ongerustheid maakte geen indruk. 'Nu is het te laat,' zei Sow.

Ik smeekte: 'Dwing me dan iets te doen, laten we naar de gevangenis gaan!'

Als ik per se wou helpen, dan op een andere manier. De gevangenen smeekten om brandstof. Een reder als Diller moest nog voorraad hebben. Waarom maakte ik geen gebruik van mijn goede connecties?

Eindelijk kon ik laten zien waar ik stond.

'Wat moet je daar in godsnaam mee?' vroeg Diller.

'De gevangenen hebben het 's nachts koud.'

'De gevangenis zit veel te vol om het koud te hebben.'

Het bleek niet meer nodig. Vuur genoeg in de gevangenis. Sows neef had gehoord dat er brand was uitgebroken. Opeens begrepen we waar midden in de nacht die knallen vandaan kwamen. Sow wilde onmiddellijk na het eerste gebed op onderzoek uitgaan. Ik sloeg mijn bontste lappen om en vulde een tas met verband en jodium. Het rook naar brand in het dorp, er hing een opgewonden sfeer, een jolige stemming van opstand en wanorde. Ezelskarren reden toeterend door de stegen, kinderen renden in groepjes voor ons uit, iedereen leek dezelfde richting op te gaan.

Onderweg hoorden we dat onze tocht weinig nut zou hebben. De gevangenen waren uitgebroken en de bossen in gevlucht. Ze hadden de gevangenis zelf aangestoken, op wel vijf plaatsen tegelijk De pompiers waren veel te druk met de blokkade en de bewakers sliepen. De kinderen brachten hun duimen naar hun mond en wezen naar de schriele palmen. Dronken, de bewakers waren dronken gevoerd. Keer op keer werden we onderweg door pompiers aangehouden, ze letten alleen op uiterlijk, elke Zuiderling was verdacht. Sow en neef mochten doorrijden, hun lengte en nomadenneuzen boden ons een veilig laissez-passer.

We hielden halt voor een gebouw met een weggeslagen dak en geblakerde muren. Roet had er de laatste kleur verbannen. Toch herkende ik de sombere binnenplaats, de tralies. Mijn vuurdanser had genoeg benzine overgelaten. De gevangenen hadden zich met brandbommen een weg naar buiten gebaand. Een stalen deur hing verwrongen in zijn hengsels. Volgens omstanders hielden handlangers de bewakers onder schot en wisten ze de gewonden snel af te voeren. De radio – *his master's voice* – zei dat de uitbrekers waren geholpen door buitenlandse elementen.

Ook op het vasteland vlogen regeringsgebouwen in brand. Wat er nog aan separatisten actief was, putte moed uit de gebeurtenissen op het eiland. In het Zuiden gingen vrouwen en kinderen de straat op, mannen kwamen uit de bossen tevoorschijn. Betogers wilden de olieraffinaderijen bestormen. Het leger sloeg terug: negentien doden, meer dan tachtig gewonden. 's Lands economie moest verdedigd worden. Tot overmaat van ramp waren er ook nog eens geheime wapendepots ontdekt. Honderden mensen werden aangehouden. De president beschuldigde de buurlanden ervan de separatisten te steunen.

De hoofdstad gooide een vangnet over het eiland uit. Noodtoestand, militaire troepen, blokkades, huiszoekingen. Iedereen moest na zonsondergang binnenblijven. Alle oude pesterijen werden tegelijk ingezet: geen boot, geen licht, geen brood, geen vis. Wel jeeps, voor het eerst in de geschiedenis van het eiland. Ze stonden hulpeloos op de kade omdat ze niet konden manoeuvreren in de smalle stegen van het dorp en de ezelspaden daarbuiten onbegaanbaar waren in de regentijd. Het maakte indruk, daar ging het om. De kinderen vonden het spannend en mochten om beurten achter het stuur. Maar de volwassenen waren het beu: lege schappen in de toko's, geen vis meer op het vuur... hun solidariteit kende grenzen. Lastig was mooi, maar liepen er langzamerhand niet te veel vluchtelingen rond?

Sow zag hoe soldaten vrouwen en kinderen uit hun huizen sleurden. Er lag een boot klaar die hen naar de hoofdstad zou voeren. Het gerucht ging dat daar opvangkampen waren ingericht waar separatisten een heropvoeding zouden krijgen. In het dorp hield het leger naar willekeur mannen staande. Jong en oud moest zijn mouwen opstropen, wie een talisman droeg werd ondervraagd; katholieken en Noorderlingen droegen dat soort dingen niet. Sow had de zijne afgedaan, ik mocht mijn talisman omhouden, maar het zou wel verstandig zijn als ik voorlopig binnenbleef.

'Hoezo? Zie ik eruit als een separatist?'

'Buitenlandse elementen. Ze hebben monsieur Diller meegenomen.'

'Diller?'

'De benzineton die ze in de gevangenis hebben gevonden lijkt op het soort dat zijn rederij gebruikt.' Niet ingrijpen en toch de schuld krijgen – dat kan je alleen op dit eiland gebeuren, dacht ik.

'We moeten iets doen,' zei Sow. 'De soldaten kammen de jungle uit, er zitten daar hele families verscholen.'

'Breng ze maar hiernaartoe,' zei ik gelaten, 'we kunnen net zo goed risico's nemen.'

Sow keek me aan of ik gek was geworden.

'Deze plaats is toch al behekst, ze zullen hier niet graag komen controleren.'

'Is dat een besluit?' vroeg hij.

'Bij wie moeten ze anders, het Ecologisch Centrum?'

'Nee, William wil geen bemoeienis.'

'Dit is een eenpersoonshuishouden, ze moeten net als jij hun eigen bord meenemen.' In gedachten telde ik het aantal kogels van mijn browning. Een vrouw moet haar gasten kunnen beschermen.

Maar daarmee waren we er niet. Allemachtig, wat gaat er veel pap in drieënveertig monden, wat zeg ik, vierenveertig, vijftig... Elke nacht werden er nieuwe vluchtelingen binnengebracht: een jonge vrouw die elk ogenblik kon bevallen, kinderen van wie de ouders waren opgepakt. En dan de gewonden, jammerende kerels met stinkende brandwonden.

Sows kruiden schoten tekort. Maar waar vonden we zo gauw een echte dokter? Het eiland kende die luxe niet, en kent die nog steeds niet, alleen een *dispensaire* waar je pillen en pleisters kunt krijgen. Toen ik om brandzalf en extra verband kwam vragen, merkte ik meteen dat ze de zaak niet vertrouwden – was het voor mezelf en waarom zoveel? In huis bespraken we de mogelijkheden van verraad. Begonnen de karrenvrachten eten niet op te vallen en hoe betrouwbaar was de muezzin die van zijn minaret zo over onze muur kon kijken? Passanten moesten iets vermoeden, want na elke gebedsoproep steeg er een niet te onderdrukken gemurmel van achter mijn muren op. Voor de buitenwereld hielden we het maar op de geesten. De toestand werd onhoudbaar.

Het lukte ons niet contact met de hoofdstad te maken, post en telefoon werkten naar willekeur. Radio France Inter kwam gestoord door en wist te melden dat de internationale gemeenschap haar verontwaardiging had uitgesproken. Met verontwaardiging vul je geen magen, daar kun je geen koorts mee bestrijden. We hoorden ook dat het zuidelijke buurland zich onder druk van de olie-industrie als bemiddelaar had aangediend. Misschien was dat het beste voor onze vluchtelingen, uitwijken en met buitenlandse steun nieuwe actie ondernemen. Hier wachtte alleen maar gevangenis of heropvoeding.

Sow beloofde een boot te regelen. Hij kende iemand die nog ergens een oud motorschip in de kreken had liggen. Samba, een melaatse palmwijnsmokkelaar. Op Samba kon je vertrouwen, hij was een oud-tirailleur, net als Sow. Maar hoe deden we dat met de gewonden... een nacht door jungle en moeras... er waren er minstens twee die zover niet konden lopen. Geen ezelskar, je kunt op die dieren geen staat maken, te onwillig en er hoeft maar een vogel op te fladderen of ze schreeuwen het halve eiland bij elkaar. Ik dacht meteen aan Dillers paard. Dat kon hij me toch niet weigeren? Diller zat allang weer boven op zijn fort beschouwelijk te niksen, de pompiers hadden hem na een dag al vrijgelaten. Zijn verbandtrommel was vast beter gevuld dan die van de dispensaire.

Ik controleerde mijn browning, maakte het koper van mijn kijker dof en besloot direct na zonsondergang de klim naar boven te wagen, avondklok of niet. Mocht ik worden aangehouden, dan kon ik de soldaat of pompier altijd nog mijn liefde voor nachtvogels verklaren. Ik ben nog nooit zo snel naar boven gelopen als die avond, mijn zenuwen gaven me mijn krachten terug.

Diller was woest. 'Heb ik dat verhoor aan jou te danken? Je kent dit soort landen, voor je het weet zetten ze je de grens over en confisqueren je bezit.'

'Ik neem aan dat je het met ze hebt kunnen regelen.'

'Wat insinueer je?'

'Niets. Hebben ze je goed behandeld?'

'Wat ben je toch begaan.'

'Ja, ik heb vijftig mensen in huis, de sjouwers, vrouwen, kinderen, er zijn zieken bij, en ik heb je paard nodig.'

Hij reageerde niet verbaasd op mijn verhaal, eerder geschrokken, uit het veld geslagen zelfs. 'Mijn paard? Wat moet ik zonder paard?' Maar hij hernam zich snel: 'Wat zoek je hier eigenlijk?'

'Menselijkheid.'

'Afrika is niet menselijk.'

'Doe niet zo cynisch.'

'Afrika maakt cynisch. Waarom ga je je eigen zwarten in je eigen land niet helpen?'

Toch ging hij braaf op zijn knieën in de verbandkist graaien. Lambarene was er niks bij: kilo's steriele verbanden en antibiotica. Hij gaf me zijn hele voorraad mee.

'En wie regelt de boot?' vroeg hij.

'Sow.'

'Die woestijnrat? Je hebt wel veel vertrouwen in de mensheid.'

'Hij kent een smokkelroute.'

'Kent hij de stromen ook? Vlak buiten de kreken is de zee het verraderlijkst.'

'Als gids heeft hij honderden tochtjes om het eiland gemaakt.'

'Jullie zijn gek! Het leger houdt de kust in de gaten, en niet alleen met een patrouilleboot. Heb je die helikopter niet gehoord? Of brouwt Sow een toverdrank die jullie onzichtbaar maakt?'

'Vergeet die man, denk aan de vluchtelingen.'

'Alleen jij mag mijn paard leiden, het is geen ezel,' zei Diller bij de deur.

Het was alweer een tijd geleden dat ik een paard onder me had gevoeld. Een trots paard, met zijn sierlijke hals en opgeheven staart, en toch gehoorzaam. Ik liet me loom het pad afdragen, schuddend, als een klein kind. Even reed ik door de bergen van Colorado. Ik was niet ongelukkig die nacht. Alles zou anders worden, ik voelde het.

We maakten ons gereed voor de tocht. Het was volle maan. Dus: zwarte kleren, witte verbanden bedekt, sieraden af, sigaretten uit, geen snik of glimp mocht ons verraden. Baby's werden met een kruid in slaap gesust. En maar bidden dat het paard zich koest zou houden. Wapens lieten we thuis; dit was een vlucht, geen opstand. De mannen kwamen Sow vragen of hij de leiding op zich wilde nemen. 'Niemand kent beter de weg.'

Een uur voor vertrek werd er aan onze poort geklopt. Dillers bediende met een dienstbevel. Of we soms dachten dat onze missie geheim was? Het ritselde van geruchten onder de baobab. Die boot van Samba was zo lek als een mandje. Er lag een betere boot voor ons klaar, met plaats voor vijftig passagiers. Zie kaart en instructies. Voor een kapitein werd gezorgd: 'Een met verstand van boten!'

'Vijftig?' zei Sow. 'We zijn met z'n zestigen.'

'Dan schikken ze maar op.' Mijn schuldgevoel was op slag verdwenen.

Het gezang van de nachtkrekels overstemde onze voetstappen. Sow liep voorop, ik sloot de rij met de twee zwaarst gewonden op het paard. De andere slachtoffers werden wisselend ondersteund. Ze waren goddank koortsvrij. De vrouw die elk ogenblik kon bevallen liep goedlachs mee in de maat.

Sow torste voor zestig levens kruiden met zich mee en hield bij elke kruising stil. De paden slingerden ons van alle kanten tegemoet, de meeste keerden na een lus weer op hetzelfde punt terug. Hij probeerde een oude smokkelroute te volgen, maar de eerste regens hadden bijna alle sporen uitgewist. Ik zocht met mijn kijker de hemel af en zag aan de stand van Orion dat we naar het oosten liepen. Oosten? Gingen we wel goed? Of was dat Orion niet die daar langzaam achter de bomen verdween? De kreken lagen in het noorden, aan de andere kant van het eiland. Ik wilde Sow niet kwetsen door Dillers kaart nog eens uit te vouwen, daar was het in het bos ook te donker voor, maar ik wist zeker dat we de verkeerde kant op liepen. De mannen gaven Sow gelijk, zijn richting was de juiste. De lichtgevende wijzerplaat van mijn kompas werd wantrouwend bekeken.

We staken een veld reusachtige baobabs over. De bladerloze bomen stonden als vette beelden in het maanlicht, armen en vingers wijd in de lucht. Het paard reageerde onrustig, ik moest hem met alle macht in bedwang houden. De gewonden kermden ingehouden van de pijn. Volgens Sow had God de baobab in een boze bui uit de grond gerukt en omgekeerd in de aarde geplant om de mensheid te straffen. De straf valt mee, hij geeft weliswaar nauwelijks schaduw, maar bijna alles aan de boom blijkt eetbaar. De vrouwen raapten de gevallen vruchten op en staken ze onder hun lappen. Goed tegen diarree.

De ware straf kwam in de vorm van stof: de grond werd droger en roder, het regenkorstje werd in één stap losgetrapt. Het zand wervelde onder onze voeten op. Hoe verder we liepen, hoe meer baobabs er op apegapen lagen. Ook hier liet de woestijnwind zich gelden. De gewonden klaagden over een schurende pijn onder hun verbanden. Het stof beet in hun wonden. Sow deelde *lippia*-bladeren uit waarmee ze hun pijn en zenuwen konden onderdrukken. Tanden op elkaar en niet hoesten. We moesten het in één nacht halen. De zee lag al ver achter ons, maar de modder van de kreken leek oneindig veel verder.

Waarom gehoorzaamde iedereen blind aan Sow en waarom negeerden ze mijn kompas? Pas toen ik brak water rook en in de verte mangroven zag, was ik gerustgesteld. Een oude vluchteling wist me te vertellen dat de grond hier rijk aan ijzer was, je kompas kon ervan doldraaien. Daarom lagen er ook zoveel wrakken voor het fort. Dillers berg werd in de volkstaal 'ijzerberg' genoemd: waar de kaart een vrije doorvaart wees, lokte het kompas menig stuurman het graf in.

'Had je dat niet eerder kunnen zeggen?' vroeg ik.

'Ik was bang dat u wijzers meer vertrouwde dan mensen.'

We liepen zwijgend verder. Ik vroeg me af hoe ik ooit de weg terug zou vinden. Moe was ik, doodmoe, en in stilte smeekte ik alle geesten en goden om me kracht te geven. De grond werd drassiger; na een uur zagen wij de resten van een dorp. De hutten smeulden. De lucht was zwaar van de rook. Sow stuurde twee kerels vooruit, maar de nederzetting bleek allang verlaten, ze zagen nergens huisraad. Op een geblakerde binnenplaats ontdekten we halfverborgen onder golfijzeren platen een diepe gang. Zouden daar nog mensen zitten? De sterksten schoven het plaatijzer weg, een schroeilucht steeg op. Voor in het hol lagen de stille getuigen van een vluchtelingenleven: tassen, stokken, halfverbrande draaglappen en gesmolten plastic waterflessen. We hoorden geprevel, er bewoog iets. Vier bejaarde vrouwen kropen uit het halfdonker tevoorschijn. Hun hutten waren midden in de nacht in brand gestoken. Een fel licht kwam uit de hemel aangevlogen, vuurkogels vielen op hen neer. Ja, het waren soldaten geweest, kijk... een van hen had een pet gevonden. De witte lappen bij hun hutten hadden de aandacht van de helikopter getrokken. De vrouwen treurden om hun mannen, die bij het vissen in de kreken waren verdronken. Ze hadden gewacht en gewacht, maar het water gaf alleen de boot terug. Uiteindelijk hingen ze de lijkwaden in de bomen.

Sow wilde onmiddellijk verder en schonk geen aandacht aan de wantrouwende blikken van onze groepsgenoten. Hij beval de weduwen wat eten te geven, wierp ze een droge donkere lap toe en maande om door te lopen. Maar de nieuwelingen trokken hem naar andere gaten toe, er schuilden meer mensen onder de grond. Een tweede golfplaat werd weggeschoven en na een bemoedigend woord kwam er een hele stoet naar boven: vrouwen, kinderen, jongemannen. Klam van de modder, huiverend van koorts en angst. Sommige van onze vluchtelingen meenden in hen doodgewaande dorpelingen te herkennen, ze lieten zich van schrik op de grond vallen en begonnen luid tegen de hemel te praten of in paniek te gillen. Niemand hield zich meer in – geesten ja of nee, daar ging het om –, beide partijen schreeuwden om het hardst en het paard voelde zich geroepen daar hinnikend tegenin te gaan. 'Doe iets, doe iets,' smeekte ik Sow. Een paar glazige ogen keken langs me heen, Sow stond geconcentreerd te tellen, zwijgend, met zijn vingers op zijn rug.

De helikopter maakte een eind aan het kabaal. We hadden hem niet eens horen aankomen, het ding hing plotseling boven ons. Verdiende loon, dacht ik, toen iedereen zich plat in de modder liet vallen. De golfplaten rammelden over de grond, er werd gevochten om de gaten. Ook mijn gewonden doken weg. Het zoeklicht zeilde door de lucht. Ik rende naar het paard en probeerde met mijn handen zijn ogen af te dekken... niet weer, niet weer... het steigerde en trapte me tegen de borst zodat ik viel. Toen ik bijkwam keek ik recht in Sows gezicht. De helikopter was verdwenen. Ze hadden niks gezien, verzekerde hij me, niks gezien.

Nu werd ook ik op het paard gezet, tussen de gewonden in. Niet dat ik zichtbaar iets mankeerde, maar ik was te duizelig om verder te lopen. De nachtkrekels verstomden, muskieten gonsden om onze oren. Sow had gehoopt Dillers boot voor de vloed te bereiken, maar het water in de kreken was sneller gestegen dan we konden lopen. We zagen het mastlicht in de verte, het afgesproken sein, één puntje slechts, om de zoveel minuten. We trapten slib los dat aan onze kleren koekte. Het paard zakte steeds dieper weg. De moeders met de zuigelingen op hun rug, de vrouw die op baren stond, de gewonden... ze konden niet meer, hun verbanden weekten los en er hadden zich trossen bloedzuigers aan hun blaren vastgebeten. Ze wilden achterblijven, maar een paar mannen maakten van takken brancards en tilden de gewonden boven hun hoofd. De kinderen gingen op de hoogste schouders, de zwangere vrouw kreeg de steun van twee sterke armen en zo zompte de karavaan verder. Het paard moesten we achterlaten. Ik leidde hem naar de wortels van een brede mangrove waar door papyrus en aanwas een drijvend eilandje was ontstaan. Tot de eb moest hij zich daarop zien te redden.

De grond onder onze voeten werd harder, van de ene stap op de andere, alsof we een scherpe grens overschreden, tussen lauw en koud, modder en zandbank, moeras en zee. Een krachtige zoute vlaag en we rechtten onze ruggen weer. De boot tekende zich duidelijk af, een klein donker motorschip, de lak glansde in het maanlicht. Er stonden vier mannen aan dek, uitgeknipt tegen een steeds bleker wordende hemel. Drie waren met het uitrollen van een touwladder in de weer, de vierde leunde afzijdig tegen de mast. Het had geen zin mijn kijker tevoorschijn te halen, ik kende dat magere silhouet... al droeg het een kapiteinspet. Als hij maar kon imponeren, het bleef een kinderachtige man.

Plotseling begonnen de mannen zacht te brommen. Hun stemmen zwollen aan en daarna vielen de vrouwen in. Ze zongen met hun ogen dicht. Ik waadde naar Sow en keek hem vragend aan. 'Ze moeten zingen,' fluisterde hij, 'de geesten dwingen hen daartoe.'

'Wat zingen ze?'

'Maak onze last lichter, lichter, als de boot de golven raakt. Maak ons lichter, want ons leven is zwaar.'

'Zijn ze bang?'

'Niet meer.'

Vreugdegilletjes. De touwladder tikte tegen de romp. Kinderen werden over de reling getild, daarna de gewonden. De zwangere vrouw schommelde naar boven en kreeg vele ongevraagde kontjes, tot de rijzige figuur zich van de mast losmaakte. Diller. De wind speelde in de panden van zijn donkere pak. *One ounce*, geschikt voor de tropen. Hij scheen met een zaklamp over onze hoofden heen. Hield stil bij Sow, bij

mij, en vloekte. 'Waar is mijn paard?' Ik wilde naar voren lopen, maar de vluchtelingen verdrongen zich voor de ladder
en duwden me ruw terug.

Sow klom aan boord en fluisterde Diller iets in zijn oor.
Weer scheen de lamp over onze hoofden, dansend, tellend.
Sow pleitte en Diller schudde resoluut nee. De vluchtelingen
glipten achter hun rug om aan boord. Ik probeerde te tellen...
we waren met zeventig, misschien wel meer. Het werd vol op
het dek, zij die waren gaan zitten moesten weer staan. Ook de
gewonden werden rechtop tussen de anderen ingeklemd.
Het schip hing naar één kant, er bungelden tientallen mensen aan de ladder, de touwen dreigden te breken. In het voor-
onder was blijkbaar geen plaats, niemand kon nog een kant
uit. De wachtenden in het water begonnen hun geduld te ver-
liezen. Mannen klommen op elkaars schouders en lieten zich
aan de andere kant van het schip over de reling in het ge-
drang vallen, bij de ladder werd om elke tree gevochten. Ou-
deren en zwakken raakten steeds meer achteraan.

Bagage overboord! Een bevel van een der vluchtelingen.
Sow werd in een poging om zijn kruiden te redden bijna mee
het water ingegooid. Tassen, dichtgeknoopte lappenbundels
spoelden weg. De vrijgekomen ruimte was slechts goed voor
een handjevol mensen. Wat kon er nog meer overboord?
Touwen, emmers, reddingsvesten. Diller sputterde tegen,
liep op Sow af en begon hem heftig toe te spreken. Het schip
lag te diep, de kiel schuurde op een zandbank. Wilde het los-
komen, dan moesten er minstens twintig mensen af. Vijftig,
vijfenvijftig passagiers was de absolute limiet. De getallen
knalden door de lucht. Dillers wijsvinger prikte in Sows
borst. Wie nam nou de leiding? Sow moest zijn mensen tot
rede brengen.

Hun stemmen waren op grote afstand te horen, ook de
vluchtelingen schreeuwden. Het loos alarm van de helikop-

ter had iedereen overmoedig gemaakt. Niemand dacht aan de patrouilleboot. Een paar knapen maakten een eind aan het palaver door Diller bij zijn schouders te pakken. Ze trokken hem zijn jasje uit, drukten hem tegen de mast en bonden zijn polsen achter zijn rug. Diller keek hulpeloos om zich heen, te perplex om zich te verzetten, en toen de woede kwam en hij zich los wilde rukken, bonden ze hem helemaal aan de paal vast. Sow liet de jongens begaan en drong zich met moeite naar de ladder om een oude vrouw over schouders en hoofden naar boven te trekken.

Het water begon te zakken, de terugtrekkende vloed zoog het zand onder mijn voeten weg, kleine golven kolkten achter mijn billen. Diller werd in bedwang gehouden, een Noach gekneveld door zijn eigen have. Ik probeerde zijn blik te vangen. Wat had hem bewogen deze mensen hier op te komen halen? Jaloezie, naastenliefde?

En terwijl Diller daar zo machteloos stond en Sow de laatste vluchtelingen aan boord hielp, vroeg ik me af van wie ik het meest gehouden had. Want het was voorbij, ik wist het. Ik deugde niet voor mensen. Ik wilde helpen, hun lot verlichten, ze vleugels geven, maar hoe menselijker ze waren, hoe vreemder ik ze vond. God, wat was ik klein en wat was ik me bewust van de grenzen van mijn hart. Ik dacht alleen maar aan mezelf terwijl anderen voor hun leven vochten. Ik wilde me laten optillen door de zeewaartse stroom, de ultieme vervoering. Eén sprongetje en ik werd meegesleurd als een overbodig stuk bagage. Maar ik kon het niet.

De motor loeide. De drie bemanningsleden probeerden het schip met een stok vlot te duwen, ze gehoorzaamden zonder morren aan hun nieuwe leider, een jonge vluchteling die Dillers pet had opgezet. De maan verbleekte boven de gouden stroom. Ik draaide me om en liep terug naar de mangroven. Gejuich, de boot was los. Iemand riep me bij mijn voornaam.

Een vervloeking in de nacht. Sow? Ik keek niet om, ik wilde een andere herinnering aan hem bewaren.

Het schip voer met volle kracht de zee op. Een ander schip naderde, het klonk als een laag kuchen. Niet omdraaien, doorlopen, tegen de stroom in. Ik haastte me naar het paard dat zich door het dalende water aan een tak dreigde te verhangen.

De volgende dag spoelden de eerste lichamen aan. Het eiland kwam linnen tekort. Diller vonden ze onder het fort, bij het brokkelspoor van keien. Weken treiterde de vloed ons met lijken. De golfstroom had ze opgenomen, vastgehouden en sommige kilometers verder op het vasteland aan wal gegooid. Sow hebben ze geloof ik nooit gevonden. Zeker weten doe ik het niet, de mensen op het eiland spraken toen al nauwelijks meer met mij. Samba vertelde rond dat ik zijn schip te licht had bevonden. Sindsdien mijdt men mijn deur.

Toch krijg ik elke nacht bezoek. Elke nacht kloppen de schepelingen aan mijn poort. Ik zie ze niet, ik hoor alleen hun stemmen. In mijn kamer, op het dakterras, het lukt me niet mijn oren voor ze te sluiten. Ik hoor ze in de schaduw van de minaret, ik hoor ze in de wildernis aan de overkant. Maar het meest nog in het trillende gouden licht van de maan boven zee. 'Moordenaar, moordenaar.'

'Het zijn de geesten,' roept de gardien als hij me naar de kraan hoort sloffen om de stemmen met een glas water te verjagen. Keer op keer. Ritme en regelmaat, ook onder de geesten.

Daarom blijf ik hier. De stemmen houden mij vast. Ik mag niet voor ze weglopen. Het eiland wil het zo. Leven met de doden. Ik zal weten hoe dat voelt. Dat is mijn keuze.»

6

Susan zweeg. Ze lag op de bank en zag grauw, het praten had haar uitgeput. De koele nacht trok door haar huis. Haar tekeningen slingerden over de vloer en soms wipte de wind er eentje op. Ze maakte een vermoeid gebaar. Opruimen. De decorstukken konden terug in de kast Ook de lappen, de browning en Sows medailles. Einde verhaal.

Ik raapte de tekeningen op en stak ze terug in de map. Toen ik de lappen opvouwde, ontweek Susan mijn ogen. Ze stond op en liep naar het terras. De zeewind was gaan liggen en de nachtdieren in de jungle bonden een strijd met de branding aan. De gardien had de planten buiten de poort water gegeven, je rook de vochtige aarde en de frangipangi braakte zijn weeë geur over de muur. De maan was achter de heuvels vandaan gekomen en speelde kaatsebal op het zandpad voor haar huis. Een violette wolk schoot langs roze sterren. De natuur had die nacht beslist een slechte smaak. Evenals de palmwijn. Waarom had ze me dit allemaal verteld? Vervaagde de palmwijn ook de grenzen van gêne en intimiteit? Verwachtte ze begrip? Ik zou er niet naar vragen. Ik wilde mijn recht op één vraag nog niet verspelen.

'Ik dacht dat je voor de paarden had gekozen,' zei ik.

'Is dat je vraag?'

'Nee, een gedachte.'

'Het is een vraag,' zei ze schor. Ze stak een olielamp aan om de schaduw van de minaret te verjagen. 'Nee, je mag er niet op terugkomen. Het is een vraag die ik mezelf al vele malen heb gesteld.

Dillers paard had het ook zonder mij gered. Toen ik aan kwam lopen draafde hij juist naar de droge kant, hij had zijn leidsel doorgebeten. Het leger heeft hem ingepikt. Laatst meende ik hem op een foto in de krant te herkennen. Tussen de benen van een minister. Het moest Dillers paard zijn... die sierlijke hals, arrogante kop. Trots, als zijn oude baas.'

'En je woestijnpaard, wat is daarmee gebeurd?'

Ze leek me niet te horen. 'Ik had om de mensen moeten geven, ik weet het. Maar uit onmacht koos ik voor het zwakste, zoals die keer in de woestijn. Toen ik mijn paard achter de heuvel terugvond, gestikt in de sprinkhanen die bij honderden in zijn keel waren gekropen. Het raakte me meer dan het lot van die stoet vluchtelingen. Pas op dit eiland drong het tot me door dat er iets mis met me was. Ik vond dat ik moest veranderen. Het is me maar half gelukt. Ach, het is tenminste iets, vind je niet?'

Zonder verder aandacht aan me te schenken begon Susan de glazen af te ruimen. Vanuit de keuken gooide ze me een handdoek toe. Ik kon blijven slapen. Zolang ik maar wilde, dat Ecologisch Centrum was toch niks voor mij. 'Morgen misschien,' zei ik. Het leek me niet gepast die nacht.

De volgende dag ben ik bij haar ingetrokken. Ik schikte me in het ritme van de gebeden en de regelmaat: water pompen, brood halen, met Susan naar de sloep lopen – al was het maar om haar tekenmap te dragen. Ze takelde zichtbaar af. Als ze kort na het vierde gebed met haar kijker de zee afzocht, speurend naar een dramatisch detail voor haar zoveelste zonsondergang, zag ik dat ze de kijker niet eens goed hoog kon houden. Toch klaagde ze niet.

Haar stap vertraagde met de dag, behalve 's nachts, wanneer ze in haar kamers rommelde om de stemmen in haar hoofd te verjagen. Trap op, trap af, licht aan, licht uit, gerommel met glazen en plastic palmwijnflessen... soms hoorde ik haar praten, met een krachtiger stem dan overdag, alsof ze leven putte uit haar omgang met de doden. En als de maan op onze ramen scheen en haar onrust het grootst werd, waakte ze uren op haar dakterras. Een nacht heb ik haar daar opgezocht. Nog schaam ik me dat ik zo brutaal haar wereld binnendrong. Ze zat mager en gebogen, rillend onder een deken, starend naar de zee. De browning lag voor haar op tafel, het parelmoer van de kolf schitterde in het licht.

'Je bent toch niets van plan?' vroeg ik.

'Nee,' zei ze, 'nog niet.' Het verbaasde haar dat je kanker zonder pijn kon hebben. 'De dood zit in me en ik voel hem niet.' Ze nam zich voor geen medicijnen te slikken, Sows kruiden had ze al een tijd geleden doorgespoeld. De dood moest grijpbaar worden, vond ze. Het was haar wens 'keihard te sterven'. Zoals haar zoon gestorven was. Ik weet niet waar ze uiteindelijk voor gekozen heeft, voor de rotsen, de zee of de kogel. Ik wil het niet meer weten ook. Het was in ieder geval een tragische dood. Hoewel, kranten overdrijven zo.

Die nacht op het dakterras heeft ze mij haar kijker geschonken. Een erfstuk van haar vader. Hij kwam me de rest van mijn verblijf nog goed van pas. Ik zocht er de heuvels en de mangrovenkust mee af, want ik wilde controleren of de vluchtelingen zich nog steeds in modderhutten en ondergrondse holen verborgen hielden. Als alles ging zoals was afgesproken, zouden ze snel beter worden ondergebracht.

Uitzicht en afstand, een perfecte positie voor een internationaal waarnemer zoals ik. William kon het maar moeilijk verkroppen dat ik zijn Ecologisch Centrum de rug had toegekeerd. Hoe was het mogelijk dat 'een man met zoveel verantwoordelijkheden' geen gebruik van zijn diensten maakte. Ja, hij had het in het begin misschien niet beseft, maar hij had me goed kunnen helpen. Wat een gezichtsverlies! Niet alleen voor hem, ook voor mij. Hoe kon ik het vertrouwen van de eilanders winnen als ik me inliet met een vrouw die voor zoveel ellende had gezorgd?

Jammer voor William, maar ik was er niet op uit vertrouwen te winnen. Rapporteren moest ik. Kijken wat er gebeurt en zo onpartijdig mogelijk berichten. Sinds de scheepsramp was de zaak van de separatisten voorpaginanieuws geworden. Kranten en televisie hadden het eiland wereldwijd op de kaart gezet. Men had mij uitgestuurd om de toestand rustig in ogenschouw te nemen. Ik kon berichten dat de hoofdstad na de ramp snel had moeten inbinden en dat er dankzij de tussenkomst van internationale bemiddelaars serieus over een federatief verband met het Zuiden werd gepraat. De situatie van de vluchtelingen zou spoedig verbeteren. De olie-industrie beloofde onder druk van milieuactivisten de schade aan het landschap te herstellen en zolang de gebrandschatte dorpen in het Zuiden niet waren opgebouwd, werd de vluchtelingen alle hulp op het eiland toegezegd. Het offer van de verdronkenen was niet voor niets geweest.

Daarmee wil ik niet beweren dat Susan door niets te doen toch heel wat voor elkaar had gekregen en dat het ook niet uitmaakt wat je doet. Susans houding had een andere, diepere betekenis, ook al was ze zich daar misschien niet bewust van geweest. Ze heeft de eilandbevolking eraan herinnerd dat je niet passief hoefde te blijven. Beter zelf je toekomst in handen nemen dan gelaten afwachten en een ander de schuld geven. Geheel in strijd met mijn opdracht (en de door mij zo hooggeschatte onpartijdigheid) nam ik de vrijheid de bevolking daarop te wijzen. Want ik was nauwelijks begonnen de verschillende partijen te horen of iedereen verwachtte al meteen van alles van mij. Hulp, hulp, hulp. Ik was de grote witte vreemdeling met een zak vol geld en elke clan overhandigde me een lijst van wensen. Betere huizen voor de vluchtelingen, generatoren, een wegennet, restauratie van de slavenhuizen, een grotere veerboot...

'Waarom vragen jullie dat aan mij?' vroeg ik.

'Omdat de toubabs de oorzaak van onze misère zijn,' zei een van de dorpsoudsten op een speciaal voor mij belegde bijeenkomst waarbij ook een aantal vluchtelingen aanwezig was.

'Jullie hebben geleden,' zei ik, 'jullie zijn de grootste slachtoffers van de wereld. Het eiland draagt de wonden van slavernij, contractarbeid, uitbuiting en racisme, en het is belangrijk dat de monumenten van ellende bewaard blijven. Maar jullie zijn meer dan slachtoffers. Die houding hoort bij het verleden. Jullie zijn verantwoordelijk voor jezelf.'

'Waarom valt u ons dan lastig?' vroeg de jongste onder de oudsten.

Ik had de man wel tegen mijn borst willen drukken. Zijn brutaliteit was hoopgevend. De anderen wisten dat je zo'n preek gelaten over je heen moest laten komen omdat de toubabs uit schuldgevoel toch hun beurs trokken. Maar ik had er geen zin meer in, ik achtte deze mensen te hoog om ze nog langer als bedelaars te behandelen. Ook al dachten ze er zelf anders over. 'Mijn aanwezigheid berust op een vergissing,' zei ik, 'ik kan jullie hoogstens vragen elkaar te respecteren.'

Als de eilanders werkelijk elke vorm van knechtschap afwezen, als hun verzet tegen bevoogding dieper ging dan dwarsheid die voortkomt uit isolement, dan moesten ze ook niet langer hun hand bij het rijke Westen ophouden. Niet langer slaaf.

Ik leek William wel, ook in mij school een wereldverbeteraar die de Afrikanen vertelde hoe ze hun zaken moesten aanpakken. Maar William hield niet van mijn rapportage. De ecologie kwam onvoldoende aan bod. Het eiland moest de wereld een voorbeeld stellen. Zijn sympathie voor Afrika was gebaseerd op minachting: hij maakte van de Afrikaan weer een nobele wilde, een beter mens dan de uitbuitende westerling. We kregen ruzie.

De dorpsoudsten waren evenmin tevreden. Ik had me in hun bijzijn hardop afgevraagd waarom ze toch zo graag slachtoffer wilden blijven. Paste zo'n houding bij de moderne tijd? Onderdrukten hun eigen leiders niet het halve land? Afrika was zelf schuldig geworden en dat was een bewijs van onafhankelijkheid. De tijd van daders aan de ene kant en slachtoffers aan de andere was voorbij; hoe ontwikkelder een volk, hoe moeilijker je de scheidslijn kon trekken.

De meesten wezen mijn opvattingen af. Mensen oogsten nu eenmaal liever medelijden. Het is ook niet makkelijk om in het heden te leven.

Ik merkte hoe verwarrend ik het vond dit alles in mijn rapport te verwerken. Ik wilde helpen zonder te bevoogden, maar mijn behoefte tot moraliseren zat kennelijk diep. Schuldgevoel mocht niet langer een leidraad zijn, het paste niet bij mijn opvattingen over gelijkwaardigheid. Ik wilde niet meer de rechtvaardige spelen die geld uitdeelde en adviezen gaf waar niemand op zat te wachten. Die rol had een eenzame cynicus van mij gemaakt. Veel van mijn collega's hadden daar last van. Misschien waren we wel bang voor Afrika, omdat het continent zich ook kon redden als we ons er *niet* mee bemoeiden. Toen ik mijn handtekening onder het rapport zette, wist ik dat dit mijn laatste buitenlandse missie was geweest.

Susans verhaal had me aan het denken gezet. Ze had het eiland uitgekozen om er te sterven, maar ze werd er herboren. Zij klampte zich aan het eiland vast, ik wilde mijn betrokkenheid tonen door het los te laten.

Want ook mijn leven veranderde tijdens mijn verblijf op het eiland. Door afstand te doen van de illusie dat ik anderen moest redden, werd ik minder hooghartig en maakte ik me toegankelijker voor mijn medemens. Minder eenzaam. Andermans lijden had me bescheidener gemaakt. Ondanks alle tegenslag raakten de mensen niet ontmoedigd. Ze probeerden hun bestaan te verbeteren en werden geconfronteerd met mislukkingen. Ze vielen, stonden op, en vervolgden hun zoektocht naar vooruitgang. Maar weinigen pleegden zelfmoord, ze vochten en gingen door. Misschien is dat de schoonheid van het leven.

Het beloofde land & In Afrika

In *Het beloofde land* maakt Van Dis een ontdekkingstocht door de Karoo, de verlaten hoogvlakte van Zuid-Afrika waar blanke boeren al generaties worstelen met de dorre bodem. Van Dis portretteert op aangrijpende en vermakelijke wijze de in isolement levende mensen.

In *In Afrika* reist Van Dis door Mozambique, waar op dat moment een burgeroorlog gaande is. Eenmaal geconfronteerd met de dood en met de misdaden van de bandieten stort hij zich in een aantal avonturen om zo het verhaal van deze vergeten oorlog te kunnen schrijven.

'Een begenadigd en scherp observator, die de nieuwsgierigheid van de journalist paart aan de verbale rijkdom van de schrijver.'

VPRO *Gids*

'Van Dis doet op integere en indringende wijze verslag.'

Jan Marijnissen

'*Het beloofde land* is doortrokken van humor en medeleven. Het roept een genuanceerd en dramatisch beeld op van een land waar velen over praten, maar dat zelden wordt begrepen... Het beste boek over de Afrikaner, geschreven door een niet-Afrikaner.'

André Brink

Een barbaar in China

In het najaar van 1986 reist Adriaan van Dis af naar China en aangrenzende landen. Hij volgt de eeuwenoude zijderoute en maakt kennis met een land vol bureaucratische maatregelen en een volk dat vreemdelingen het liefst mijdt of misleidt.

'Het is een spannend reisverhaal, waarin wederwaardigheden en ontberingen zich opstapelen. Te midden van de indrukwekkende natuur blijven de mensen voor de verteller herkenbaar irritant. Men verstaat hem niet of doet alsof. De bus is net volgeboekt of zojuist vertrokken. En als hij eenmaal een plaats heeft weten te veroveren, blijkt de bus te klein en vergeven van fluimen en dierenpoep. [...] Van Dis beschrijft de Chinese volksstammen op gepaste afstand in hun concrete alledaagse situatie, met een ironische ondertoon en met gevoel voor humor, zeker waar zijn eigen persoon in het spel komt.'

Paul Sars

Leeftocht

In *Leeftocht* reizen we met Adriaan van Dis mee als student op zijn Grand Tour, als verslaggever voor een dagblad, als getuige die zich betrokken voelt bij zijn tijd. En in al die facetten zien we een Van Dis op zoek naar zijn kern – in al zijn tweeslachtigheid. Hier zijn eindelijk alle stukken bijeengebracht die laten zien dat hij aan een sluitend oeuvre werkt en dat veel van de thema's die wij uit zijn romans en reisverhalen kennen in de kern allang aanwezig waren.

'Met de pen het leven draaglijk maken – dat is het. We danken er een boeiend en vaak ook zeer amusant boek aan.'
   Jaap Goedegebuure

'*Leeftocht* laat zich onder meer lezen als fragmenten van een autobiografie. De verhalen in het boek beslaan een tijdsbestek van bijna veertig jaar, door de auteur niet chronologisch maar thematisch gerangschikt. Dat vergroot de samenhang. Het laat ook zien dat dit ongedurige, voortdurend aan zelftwijfel onderhevige schrijverschap toch veel constanten kent.'
   Cyrille Offermans

Familieziek

Onder dreiging van de Koude Oorlog wordt een jongen voor de toekomst klaargestoomd. Hij moet zich leren weren in een kwade wereld, en de Bom tikt, ook in huis… De opvoeder – meneer Java – is een door de oorlog beschadigde man die zijn zoon steeds meer bij zijn waanwereld betrekt. De jongen is de stille getuige, die alles ziet en niets vergeet. De waanzin raast door het huis en zijn moeder en zusters vormen een sceptisch koor dat commentaar levert op de gebeurtenissen.

'*Familieziek* bewijst dat juist de distantie van een sprookjesachtige stijl en een gebrek aan expliciete psychologie aangrijpend proza kan opleveren. Wat het boek zijn kracht geeft is de spanning tussen dreiging en spel, tussen betovering en onttovering, tussen de haast kinderlijke verteltrant en de gruwelijkheden die de vader en moeder met zich meetorsen en die zich binnen het familieleven afspelen.'
    Tomas Vanheste in *Vrij Nederland*

'Van Dis vertelt zijn anekdotes precies en beeldend, het juiste midden houdend tussen naïef en lucide.'
    Arnold Heumakers in NRC *Handelsblad*

'Een wonder van bondigheid en elegantie.'
    Marja Pruis in *De Groene Amsterdammer*

'Le livre vit, et merveilleusement.' *La Croix*

'Un roman apre, bouffon, caustique, excessif, très drôle, très tendre, très cruel.' *Le Poi*

Indische duinen

Een gezin keert terug uit het oude Indië. Een Japans kamp ligt achter hen, maar Nederland biedt geen vrede. De repatrianten vestigen zich in een koloniehuis in de duinen; een zoon wordt geboren: hij is de buitenstaander die in een sfeer van verzwegen leed wordt opgevoed. Zijn vader wil hem harden voor de volgende oorlog. Zesenveertig jaar later ontrafelt de zoon de geheimen en de leugens van zijn familie.

Indische duinen werd bekroond met De Gouden Uil en de Trouw Publieksprijs voor het Nederlandse boek.

'De malicieuze trekjes van de verteller en diens gevoel voor humor houden de stijl in evenwicht, zonder dat de beschrijvingen in gemakkelijke spot ontaarden.' *de Volkskrant*

'Een genadeloze autobiografische roman.' *Vrij Nederland*

'Pijnlijke, ontroerende, lachwekkende en hartverscheurende verhalen. Zoveel stemmingen ondergaan dankzij een Nederlandse roman, dat komt niet zo vaak voor.' *NRC Handelsblad*

'Er ontrollen zich familiegeschiedenissen waarbij Couperus zich de vingers zou hebben afgelikt.[…] *Indische duinen* is voortreffelijk geschreven.' *HP/De Tijd*

'A beautifully realised novel… Adriaan van Dis has a wholly original sensability.' *The New York Times Book Review*

'An impressive book…' *Spectator*

De wandelaar

Een man krijgt bij een brand een hond in zijn schoot geworpen. Een hond die een andere wereld voor hem opent: die van vluchtelingen, illegalen en zwervers. Het verandert Parijs, het verandert de man: hij wil helpen, goed doen. Maar alles wat hij doet pakt anders uit.

'Van Dis is een meester van de zelfspot, en ironiseert op een subtiele manier het verlangen om "iets te doen" aan het leed in de wereld. Adriaan van Dis is erin geslaagd om een roman te schrijven die de lezer met zijn neus op het nieuws van vandaag drukt.'
Pieter Steinz in NRC Next

'De wandelaar is doordrenkt van het andere Parijs. Het geurt, riekt, schreeuwt om aandacht en doet pijn. [...] een roman met een harten-klop.'
Lies Schut in De Telegraaf

'Het is een prachtroman die naar devotie, schoonheid, stilte en naar een ethische en esthetische era speurt, doch enkel vlammende pijn, vernieling en gebrek aanschouwt. Het is een superieur letterwerk, dat in elke alinea en in iedere verbe snakt naar verinnerlijking en eerlijk sentiment, en vibreert van het verlangen naar een leidraad, naar geloof, naar inhoud.'
Pjeroo Roobejee